초등 국어 일등급 어휘력 4

실력 진단 평가 1

제한 시간	맞힌 개수	선생님 확인
15분	/15	

01 ~ 03 다음 낱말과 그 뜻풀이를 바르게 선으로 이으세요.

1 경사 • • ㉠ 한번 정한 대로 변경하지 아니함.

2 고정 • • ㉡ 요구나 필요에 따라 물품 등을 줌.

3 공급 • • ㉢ 비스듬히 기울어짐. 또는 그런 상태나 정도.

KB019079

04 ~ 06 다음 낱말의 뜻풀이에 알맞은 말을 골라 ○표를 하세요.

09 ~ 11 빈칸에 들어갈 알맞은 낱말을 보기 에서 찾아 쓰세요.

보기
관광 교환 구별 규모

9 이미 사용한 물건은 ( )해 드릴 수 없습니다.

10 봄이 되자 다른 나라로 ( )을/를 떠나는 사람이 늘었다.

11 올빼미와 부엉이는 귀의 깃털이 있느냐로 ( )할 수 있다.

12 ~ 14 다음 한자 성어와 그 뜻풀이를 바르게 선으로 이으세요.

12 변화무쌍 • • ㉠ 자나 깨나 잊지 못함.

13 사면초가 • • ㉡ 변하는 정도가 비할 데 없이 심함.

4 [illegible] (간섭, 관절)을 이르는 말.

5 더미 많은 (물건, 사람)이 한데 모여 쌓인 큰 덩어리.

6 덜컥 갑자기 놀라거나 겁에 질려 (가슴, 이마)이/가 내려앉는 모양.

07 ~ 08 밑줄 친 낱말의 뜻으로 알맞은 것의 기호를 쓰세요.

7 파도가 일자 배가 <u>동요</u>하기 시작했다. (   )

㉠ 물체 등이 흔들리고 움직임.

㉡ 어린이를 위하여 어린이의 마음을 바탕으로 지은 노래.

8 영화를 보다 귀신이 나오는 장면에서 눈을 질끈 <u>감았다</u>. (   )

㉠ 눈꺼풀을 내려 눈동자를 덮다.

㉡ 어떤 물체를 다른 물체에 말거나 빙 두르다.

14 오매불망 • • ㉢ 아무에게도 도움을 받지 못하는, 외롭고 곤란한 지경에 빠진 형편을 이르는 말.

15 **다음 상황에 알맞은 관용어를 골라 ○표를 하세요.**

우리 반 친구들은 오랫동안 형편이 어려운 친구들을 도와줄 방법을 찾다가 매주 목요일마다 학교에 나눔 장터를 열기로 했다. 오늘은 나눔 장터가 걸음마를 (떼는, 띄우는) 날이다. 나눔 장터가 열리는 자리에 교장 선생님이 걸음을 (재촉하셨다, 하셨다).

성취도 확인

성취도	최고예요!	잘했어요!	더 노력해요!
맞은 개수	13~15개	11~12개	10개 이하
학습법	기본적인 어휘력이 뛰어납니다. 더 많은 문제를 풀며 어휘력을 향상하세요.	낱말의 사전적 의미와 문맥적 쓰임을 익히고 적용하는 방법을 연습해야 합니다.	어휘력 보강을 위해 더욱 다양한 낱말을 접하고 매일 조금씩 학습해야 합니다.

정답은 정답과 해설 40쪽에 있습니다.

어휘력 향상에 꼭 필요한 필수 낱말 총정리

초등 국어

일등급 어휘력

이 책을 추천합니다.

▸▸ 평소에 아이가 책을 많이 접하고 자주 읽게 하려고 노력하는 편인데, 다양한 책을 읽다 보면 당연히 알고 있을 것이라고 생각했던 쉬운 어휘를 모르는 경우가 종종 있었습니다. 그래서 어휘 공부의 필요성을 느끼고 있다가 추천 받은 이 책에서는 한자어, 고유어, 다의어, 동음이의어 등 다양한 기초 낱말과 한자 성어, 속담, 관용어 같은 어려운 내용까지 함께 배울 수 있어서 좋았습니다.

여러 가지 어휘를 모두 다루고 있어서 생각보다 많은 어휘가 들어 있지만, 그림도 있고 짤막한 예문과 문제로 이루어져서 아이가 지루하지 않게 공부할 수 있었습니다. 풍부한 어휘력을 기초부터 다져 나갈 수 있는 좋은 책이라고 생각합니다.

– 이미정 (안산초등학교 3학년 학부모)

▸▸ 지금까지 따로 국어 어휘 공부를 시켜 본 적은 없었는데, 아이가 초등학교 고학년이 되면서 긴 글을 읽을 때 독해력이 조금은 부족한 것 같았습니다. 어휘력이 먼저 기본이 되어야 독해력도 올라갈 것이라는 생각에 이 책으로 어휘 공부를 시작했는데, 어휘를 효과적으로 익힐 수 있어서 이 책을 시작하길 잘했다는 생각이 듭니다.

한 회가 3회로 나누어져 있어서 세부 계획을 세워 매일매일 공부하기에 좋았고, 어휘를 공부한 뒤 제대로 학습했는지를 다시 체크하는 체크 박스도 유용하게 활용하였습니다. 먼저 어휘를 익히고 확인 학습을 푼 다음에 부록의 어휘력 테스트까지 3단계로 공부하니, 아이에게 자연스럽게 반복 학습이 되는 점이 가장 좋았습니다.

– 황이숙 (고은초등학교 6학년 학부모)

▸▸ 탄탄한 어휘력은 독해의 기본입니다. 길고 어려운 글을 독해할 때 우리는 어휘를 중심으로 내용을 유추하며 맥락을 파악합니다. 그러나 탄탄한 어휘력을 쌓는 일은 단시간에 문제를 많이 푼다고 이루어지는 것이 아닙니다. 평소에 좋은 글을 많이 접하고, 어휘가 문장 안에서 어떤 의미로 사용되고 있는지, 이를 대체할 낱말들에는 무엇이 있는지를 곰곰이 생각해 보는 연습이 필요합니다.

물론 처음 시작은 어려울 수 있습니다. 하지만 교과서에서 선별한 다양한 어휘가 실린 이 책으로 초등학생 때부터 낱말의 뜻을 스스로 생각해 보는 꾸준한 연습을 통해 어휘의 기본기를 다진다면, 앞으로의 국어 공부에 큰 도움이 될 것이라고 생각합니다.

– 신주용 (서울대 자유전공학부 19학번)

▸▸ 제가 공부를 하며 깨달았던 것은 모든 학습은 결국 기초를 다지는 것부터 시작한다는 점입니다. 수능 국어 지문들은 점점 더 복합적이고 난해하게 변화하고 있으며, 이를 이해하기 위한 독해력은 하루 이틀 공부한다고 생겨나는 것이 아닙니다. 단순히 책을 많이 읽는 것이 아니라, 가능한 이른 시기부터 체계적으로 준비해야 합니다.

즉 초등학생 때부터 어휘를 알고, 문장을 이해하고, 문단과 구조를 파악하는 연습이 꾸준히 이루어져야 합니다. 기초부터 다진 풍부한 어휘력에서 오는 자신감은 국어뿐만 아니라 다른 과목의 학습에 있어서도 큰 도움이 되리라고 생각합니다. 다양한 어휘를 내 것으로 만들어 이해하려는 연습은 앞으로의 공부에 든든한 기초가 될 것입니다.

– 한송현 (고려대 경제학과 19학번)

'일등급 어휘력'으로 어휘력과 학습 능력을 키워 보세요!

초등 국어

일등급 어휘력

4

이 책으로 공부해야 하는 이유

하나 어휘력은 곧 학습 능력

- **어휘력이 중요한 이유** 초등학생 때는 다양하고 낯선 낱말을 익히는 시기입니다. 이때 형성된 어휘력이 생각하는 힘을 길러 주며, 모든 학습 능력의 기초가 됩니다.
- **어휘력 향상 학습 시스템** 교과 어휘와 심화 어휘를 모두 익히는 이 책의 학습 시스템과 알차고 풍성한 내용으로 어휘력을 확실히 키울 수 있습니다.

둘 710개의 풍부한 낱말 제시

- **교과서 중요 낱말 수록** 각 과목의 기초를 이해하고 학습하는 데 필요한 국어, 사회, 과학 교과서 중요 낱말을 모두 모아 표제어로 다루었습니다.
- **꼼꼼하고 풍부한 어휘 학습** 표제어의 뜻풀이에 등장하는 어려운 낱말을 풀이하고 유의어 · 반의어를 추가로 제시하여, 더욱 풍부한 어휘 학습이 가능합니다.

셋 다양한 유형별 낱말 총 망라

- 교과서와 교과서 밖에서 다양한 유형의 낱말을 골고루 모아 구성하였습니다.

교과 어휘 교과서에 수록된 필수 어휘 선별

한자어 / 고유어 학년별 국어, 사회, 과학 교과서에서 배우는 꼭 알아야 하는 낱말

다의어 · 동음이의어 여러 가지 뜻을 지녔거나, 형태는 같지만 의미는 다른 낱말

심화 어휘 어휘력 향상에 필수적인 중요 어휘 선별

관용 표현 주제별로 분류된 한자 성어 · 관용어 · 속담

헷갈리기 쉬운 낱말 형태가 비슷하여 잘못 사용되기 쉬운 낱말

넷 학습 계획에 따라 단기간, 장기간 모두 활용 가능한 학습 시스템

- **단기 학습을 원하는 경우** 24회로 나뉜 학습 시스템에 따라 단기간 집중 학습으로 24일 만에 어휘력을 빠르게 향상할 수 있습니다.
- **꼼꼼한 학습을 원하는 경우** 한 회를 3회로 쪼개서 매일 조금씩 장기간에 걸쳐 꼼꼼히 어휘 공부를 할 수 있습니다.

이 책의 구조와 활용법

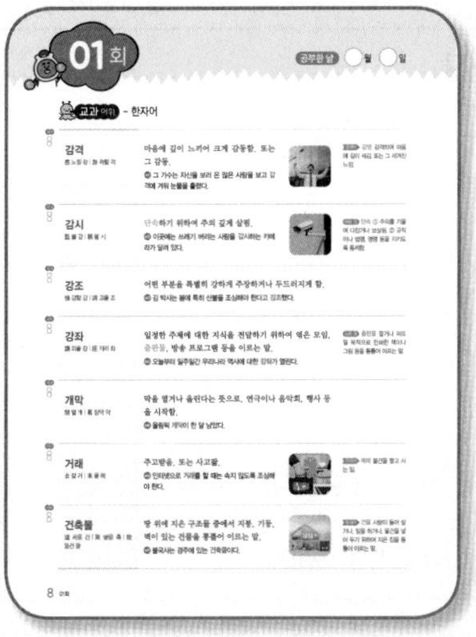

1 스스로 점검하며 **어휘 익히기**

1. 유형별로 제시된 **표제어의 뜻풀이**를 살펴봅니다.
2. 제시된 예문을 읽으며 **낱말이 문장 속에서 어떻게 쓰이는지**를 익힙니다.
3. 어휘쏙, 유의어, 반의어를 익히며 **어휘력을 확장**합니다.
4. 낱말 옆의 **체크 박스를 활용**하여 확실히 아는 낱말에 체크하고, 완벽하게 익히지 못한 낱말은 복습합니다.

2 문제를 풀며 **실력 다지기**

1. **다양한 유형의 문제**를 풀며 배운 낱말을 확인합니다.
2. 교과서 수준보다 더 어려운 **심화 어휘를 골고루 익히고** 문제에 적용할 수 있습니다.
3. 어휘의 사전적 의미와 문맥적 쓰임, 상황에 어울리는 표현 등을 **이해하고 있는지 평가**합니다.
4. 틀린 문제의 낱말은 뜻과 예문을 다시 살펴봅니다.

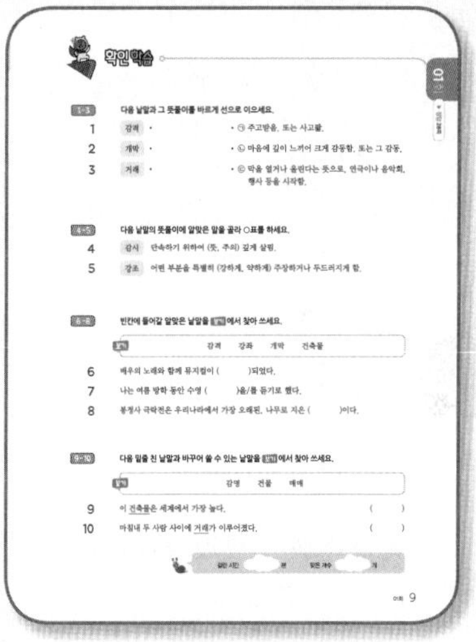

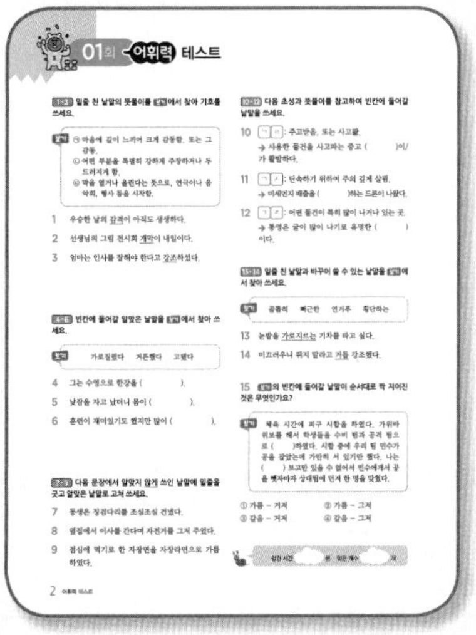

3 어휘력 테스트로 **실력 완성하기**

1. 본문의 회차와 대응되는 **24회의 테스트로 학습 내용을 점검**합니다.
2. 간단한 문제를 풀며 **본문에서 학습한 낱말을 다시 한번** 익혀서 완전히 자신의 것으로 만듭니다.
3. 채점하여 점수를 기록하고, **틀린 문제의 낱말**은 본문에서 뜻과 예문을 다시 살펴봅니다.

이 책의 차례

01회

공부한 날 ( )월 ( )일

교과 어휘 - 한자어

국어

감격
感 느낄 감 | 激 격할 격

마음에 깊이 느끼어 크게 감동함. 또는 그 감동.

예 그 가수는 자신을 보러 온 많은 사람을 보고 **감격**에 겨워 눈물을 흘렸다.

유의어 **감명** 감격하여 마음에 깊이 새김. 또는 그 새겨진 느낌.

국어

감시
監 볼 감 | 視 볼 시

단속하기 위하여 주의 깊게 살핌.

예 이곳에는 쓰레기 버리는 사람을 **감시**하는 카메라가 달려 있다.

어휘 쏙 **단속** ① 주의를 기울여 다잡거나 보살핌. ② 규칙이나 법령, 명령 등을 지키도록 통제함.

국어

강조
强 강할 강 | 調 고를 조

어떤 부분을 특별히 강하게 주장하거나 두드러지게 함.

예 김 박사는 봄에 특히 산불을 조심해야 한다고 **강조**했다.

사회

강좌
講 외울 강 | 座 자리 좌

일정한 주제에 대한 지식을 전달하기 위하여 엮은 모임, 출판물, 방송 프로그램 등을 이르는 말.

예 오늘부터 일주일간 우리나라 역사에 대한 **강좌**가 열린다.

어휘 쏙 **출판물** 팔거나 퍼뜨릴 목적으로 인쇄한 책이나 그림 등을 통틀어 이르는 말.

국어

개막
開 열 개 | 幕 장막 막

막을 열거나 올린다는 뜻으로, 연극이나 음악회, 행사 등을 시작함.

예 올림픽 **개막**이 한 달 남았다.

국어

거래
去 갈 거 | 來 올 래

주고받음. 또는 사고팖.

예 인터넷으로 **거래**를 할 때는 속지 않도록 조심해야 한다.

유의어 **매매** 물건을 팔고 사는 일.

과학

건축물
建 세울 건 | 築 쌓을 축 | 物 물건 물

땅 위에 지은 구조물 중에서 지붕, 기둥, 벽이 있는 건물을 통틀어 이르는 말.

예 불국사는 경주에 있는 **건축물**이다.

유의어 **건물** 사람이 들어 살거나, 일을 하거나, 물건을 넣어 두기 위하여 지은 집을 통틀어 이르는 말.

확인학습

▶ 정답 28쪽

1-3 **다음 낱말과 그 뜻풀이를 바르게 선으로 이으세요.**

1 감격 •　　　• ㉠ 주고받음. 또는 사고팖.

2 개막 •　　　• ㉡ 마음에 깊이 느끼어 크게 감동함. 또는 그 감동.

3 거래 •　　　• ㉢ 막을 열거나 올린다는 뜻으로, 연극이나 음악회, 행사 등을 시작함.

4-5 **다음 낱말의 뜻풀이에 알맞은 말을 골라 ○표를 하세요.**

4 감시　단속하기 위하여 (뜻, 주의) 깊게 살핌.

5 강조　어떤 부분을 특별히 (강하게, 약하게) 주장하거나 두드러지게 함.

6-8 **빈칸에 들어갈 알맞은 낱말을 보기에서 찾아 쓰세요.**

보기　감격　강좌　개막　건축물

6 배우의 노래와 함께 뮤지컬이 (　　　)되었다.

7 나는 여름 방학 동안 수영 (　　　)을/를 듣기로 했다.

8 봉정사 극락전은 우리나라에서 가장 오래된, 나무로 지은 (　　　)이다.

9-10 **다음 밑줄 친 낱말과 바꾸어 쓸 수 있는 낱말을 보기에서 찾아 쓰세요.**

보기　감명　건물　매매

9 이 <u>건축물</u>은 세계에서 가장 높다. (　　　)

10 마침내 두 사람 사이에 <u>거래</u>가 이루어졌다. (　　　)

걸린 시간 　　 분　　맞은 개수 　　 개

교과 어휘 - 고유어

국어

가로지르다

어떤 곳을 가로 등의 방향으로 질러서 지나다.

예 우리는 배를 타고 바다를 **가로질렀다.**

유의어 횡단하다 ① 도로나 강 등을 가로지르다. ② 대륙이나 대양 등을 동서의 방향으로 가로 건너다.

과학

갯벌

밀물 때는 물에 잠기고 썰물 때는 물 밖으로 드러나는 모래 점토질의 평탄한 땅.

예 썰물 때가 되자 **갯벌**이 드러났다.

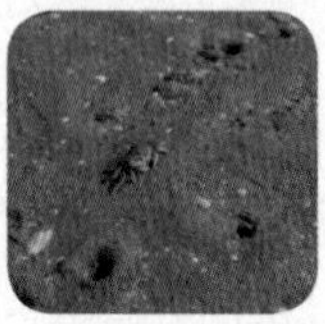

어휘 쏙 평탄하다 바닥이 평평하다.

국어

거듭

어떤 일을 되풀이하여.

예 약속에 늦은 나는 수지에게 **거듭** 사과했다.

유의어 연거푸 잇따라 여러 번 되풀이하여.

국어

거뜬하다

① 다루기에 거볍고 간편하거나 손쉽다.

예 영우는 줄넘기 오백 개를 **거뜬하게** 해냈다.

② 마음이 후련하고 상쾌하다.

예 일을 다 마치고 나니 머리가 **거뜬하다.**

반의어 뻐근하다 ① 근육이 몹시 피로하여 몸을 움직이기가 매우 거북스럽다. ② 힘에 겨울 정도로 몹시 벅차다.

국어

고되다

하는 일이 힘에 겨워 고단하다.

예 그는 **고된** 하루를 보내면서도 웃음을 잃지 않았다.

어휘 쏙 고단하다 지쳐서 피곤하고 나른하다.

국어

고장

① 사람이 많이 사는 지방이나 지역.

예 우리 **고장**은 인심이 좋고 깨끗하다.

② 어떤 물건이 특히 많이 나거나 있는 곳.

예 제주도는 귤의 **고장**으로 유명하다.

국어

골똘히

한 가지 일에 온 정신을 쏟아 딴생각이 없이.

예 그녀는 해가 지는 것을 **골똘히** 쳐다보았다.

확인 학습

1-3 **다음 뜻풀이에 알맞은 낱말을 보기 에서 찾아 쓰세요.**

보기: 갯벌　거듭　고장　골똘히

1 어떤 물건이 특히 많이 나거나 있는 곳. (　　　)

2 한 가지 일에 온 정신을 쏟아 딴생각이 없이. (　　　)

3 밀물 때는 물에 잠기고 썰물 때는 물 밖으로 드러나는 모래 점토질의 평탄한 땅. (　　　)

4-5 **다음 낱말의 뜻풀이에 알맞은 말을 골라 ○표를 하세요.**

4 고되다 — 하는 일이 힘에 겨워 (고단하다, 고민하다).

5 거뜬하다 — 다루기에 (거볍고, 거세고) 간편하거나 손쉽다.

6-8 **다음 낱말이 들어갈 문장을 찾아 바르게 선으로 이으세요.**

6 가로질러 •　　• ㉠ 나는 텅 빈 운동장을 (　　　) 교실로 향했다.

7 거듭 •　　• ㉡ (　　　) 말하지만 그 책은 내가 가져가지 않았어.

8 고장 •　　• ㉢ 우리 마을을 소개하는 '내 (　　　) 알리미'를 뽑기로 했다.

9 **보기 의 밑줄 친 낱말과 뜻이 반대인 낱말은 무엇인가요?**

보기: 목욕을 하고 나오니 몸이 거뜬했다.

① 빼개졌다　② 뻐근했다　③ 빠끔댔다　④ 뻐석했다

걸린 시간 　　분　　맞은 개수 　　개

심화 어휘 - 헷갈리기 쉬운 낱말

가름

① 쪼개거나 나누어 따로따로 되게 하는 일.

예 우리 반 학생들을 1팀과 2팀 두 팀으로 가름하였다.

② 승부나 등수 등을 정하는 일.

예 달리기 시합은 마지막 바퀴에서 1등과 2등의 가름이 났다.

갈음

다른 것으로 바꾸어 대신함.

예 낡은 책상을 새 책상으로 갈음하였다.

거저

① 아무런 노력이나 대가 없이.

예 이 세상에 거저 되는 일은 없다.

② 아무것도 가지지 않고 빈손으로.

예 결혼식에 거저 갈 수는 없지.

그저

① 다른 일은 하지 않고 그냥.

예 몸이 아파서 집에서 그저 잠만 잤다.

② 특별한 목적이나 까닭 없이.

예 그저 해 본 말이야.

건너다

무엇을 사이에 두고 한편에서 맞은편으로 가다.

예 초록불로 바뀌어서 횡단보도를 건넜다.

건네다

돈이나 물건 등을 남에게 옮기다.

예 나는 자랑스러운 얼굴로 상장을 어머니께 건넸다.

확인 학습

1-3 **다음 낱말과 그 뜻풀이를 바르게 선으로 이으세요.**

1 가름 • • ㉠ 특별한 목적이나 까닭 없이.

2 갈음 • • ㉡ 다른 것으로 바꾸어 대신함.

3 그저 • • ㉢ 쪼개거나 나누어 따로따로 되게 하는 일.

4-6 **빈칸에 들어갈 알맞은 낱말을 보기 에서 찾아 쓰세요.**

보기 거저 건너 건네 그저

4 두 사람은 (   ) 바라만 보고 있어도 행복했다.

5 재훈이가 한번 읽어 보라며 나에게 책을 (   ) 주었다.

6 유정이는 사람들을 초대하면서 (   ) 몸만 오라고 했다.

7-8 **다음 문장에 알맞은 낱말을 골라 ○표를 하세요.**

7 가위바위보 한 판으로 승부를 (가름, 갈음)하겠습니다.

8 그 마을에 가려면 다리를 한 번 (건너야, 건네야) 한다.

9-10 **다음 글에서 잘못된 부분을 찾아 바르게 고쳐 쓰세요.**

어머니 심부름으로 과일 가게에 갔다. 사과가 한 바구니에 오천 원이었다. 내가 만 원짜리를 드리자 아주머니가 거스름돈으로 오천 원을 건너 주셨다. 그리고 덤이라고 하시며 귤 두 개를 그저 주셨다.

9 (   ) → (   )

10 (   ) → (   )

걸린 시간 분 맞은 개수 개

02회

공부한 날 ( )월 ( )일

교과 어휘 - 한자어

국어 □□

경사
傾 기울 경 | 斜 비낄 사

비스듬히 기울어짐. 또는 그런 상태나 정도.

예 이 언덕은 **경사**가 심한 편이다.

유의어 **비탈** 산이나 언덕 등이 기울어진 상태나 정도. 또는 그렇게 기울어진 곳.

국어 □□

고유
固 굳을 고 | 有 있을 유

본래부터 가지고 있는 특유한 것.

예 한복은 우리나라 **고유**의 옷이다.

어휘 쏙 **특유** 일정한 사물만이 특별히 갖추고 있음.

과학 □□

고정
固 굳을 고 | 定 정할 정

① 한번 정한 대로 변경하지 아니함.

예 가수 김혜나 씨가 이 방송에 **고정** 출연하게 되었다.

② 한곳에 꼭 붙어 있거나 붙어 있게 함.

예 풀로 잘 붙여서 **고정**을 시켜 주세요.

어휘 쏙 **변경** 다르게 바꾸어 새롭게 고침.

사회 □□

공간
空 빌 공 | 間 사이 간

아무것도 없는 빈 곳.

예 침대와 옷장 사이의 **공간**에 책장을 들여놓았다.

사회 □□

공급
供 이바지할 공 | 給 줄 급

요구나 필요에 따라 물품 등을 줌.

예 수도관 청소 때문에 잠시 수돗물 **공급**이 끊겼다.

어휘 쏙 **요구** 받아야 할 것을 필요에 의하여 달라고 청함. 또는 그 청.

국어 □□

공상
空 빌 공 | 想 생각 상

현실적이지 못하거나 이루어질 가망이 없는 것을 막연히 그리어 봄. 또는 그런 생각.

예 나는 가끔씩 하늘을 자유롭게 나는 **공상**을 한다.

유의어 **몽상** 실제로 이루어질 가능성이 없는 헛된 생각을 함. 또는 그 생각.

국어 □□

과속
過 지날 과 | 速 빠를 속

자동차 등의 달리는 속도를 너무 빠르게 함. 또는 그 속도.

예 빗길에서 **과속**을 하면 큰 사고가 날 수 있다.

확인학습

▶ 정답 28쪽

1-3 **다음 낱말과 그 뜻풀이를 바르게 선으로 이으세요.**

1 경사 •　　• ㉠ 한번 정한 대로 변경하지 아니함.

2 고정 •　　• ㉡ 요구나 필요에 따라 물품 등을 줌.

3 공급 •　　• ㉢ 비스듬히 기울어짐. 또는 그런 상태나 정도.

4-5 **다음 낱말의 뜻풀이에 알맞은 말을 골라 ○표를 하세요.**

4 고유　(현재, 본래)부터 가지고 있는 특유한 것.

5 과속　자동차 등의 달리는 속도를 너무 (느리게, 빠르게) 함. 또는 그 속도.

6-8 **빈칸에 들어갈 알맞은 낱말을 보기 에서 찾아 쓰세요.**

보기	고정	공간	공상	과속

6 나도 같이 앉게 (　　　　)을 좀 만들어 줘.

7 나는 한번 (　　　　)에 빠지면 좀처럼 빠져나오지 못했다.

8 버스 안에서 아기가 울자 사람들의 눈이 아기에게 (　　　　)되었다.

9-10 **다음 밑줄 친 낱말과 바꾸어 쓸 수 있는 낱말을 보기 에서 찾아 쓰세요.**

보기	몽상	비탈	특유

9 <u>경사</u>가 가파른 길을 피해 평평한 길로 돌아갔다. (　　　　)

10 모든 일이 바라는 대로 되는 것은 너의 <u>공상</u>일 뿐이다. (　　　　)

걸린 시간 　　분　　맞은 개수 　　개

공부한 날 ( )월 ( )일

교과 어휘 - 고유어

국어

귀담아듣다

주의하여 잘 듣다.

예 내 말을 잘 **귀담아들어라.**

어휘 쏙 **주의하다** ① 마음에 새겨 두고 조심하다. ② 어떤 한 곳이나 일에 관심을 집중하여 기울이다.

국어

글썽이다

눈에 눈물이 넘칠 듯이 그득하게 고이다. 또는 그렇게 하다.

예 슬픈 영화를 본 선호는 눈물을 **글썽였다.**

어휘 쏙 **그득하다** 한껏 차 있어 많다.

국어

까무룩

정신이 갑자기 흐려지는 모양.

예 침대에 누워 책을 읽다가 **까무룩** 잠이 들었다.

사회

깨우치다

깨달아 알게 하다.

예 나는 일곱 살에 한글을 **깨우쳤다.**

유의어 **각성하다** ① 깨어 정신을 차리다. ② 깨달아 알다.

국어

꿰다

① 실이나 끈 등을 구멍이나 틈의 한쪽에 넣어 다른 쪽으로 내다.

예 실에 구슬을 **꿰어** 목걸이를 만들었다.

② 옷이나 신 등을 입거나 신다.

예 동생이 신발을 아무렇게나 **꿰고** 나를 따라 나왔다.

국어

끊임없다

계속하거나 이어져 있던 것이 끊이지 아니하다.

예 **끊임없는** 노력이 오늘의 저를 만들었습니다.

유의어 **무궁무진하다** 끝이 없고 다함이 없다.

국어

끝자락

한쪽의 끝부분.

예 길의 **끝자락**에서 너를 기다렸다.

확인 학습

▶ 정답 28쪽

1-3 **다음 뜻풀이에 알맞은 낱말을 보기 에서 찾아 쓰세요.**

보기 글썽이다　깨우치다　꿰다　끊임없다

1 깨달아 알게 하다. (　　　　)

2 옷이나 신 등을 입거나 신다. (　　　　)

3 눈에 눈물이 넘칠 듯이 그득하게 고이다. 또는 그렇게 하다. (　　　　)

4-5 **다음 낱말의 뜻풀이에 알맞은 말을 골라 ○표를 하세요.**

4 까무룩　정신이 갑자기 (맑아지는, 흐려지는) 모양.

5 끊임없다　계속하거나 (멈추어, 이어져) 있던 것이 끊이지 아니하다.

6-8 **다음 낱말이 들어갈 문장을 찾아 바르게 선으로 이으세요.**

6 귀담아듣기 •　　• ㉠ 그제야 아이들은 내 말을 (　　　　) 시작했다.

7 깨우치기 •　　• ㉡ 자신의 실수를 혼자서 (　　　　)은/는 쉽지 않다.

8 끝자락 •　　• ㉢ 무용수들이 치마의 (　　　　)을/를 손으로 잡고 한 바퀴 돌았다.

9 **다음 밑줄 친 낱말의 뜻풀이로 알맞은 것의 기호를 쓰세요.**

어머니가 바늘에 까만 실을 <u>꿰어</u> 바느질을 시작하셨다.

㉠ 옷이나 신 등을 입거나 신다.
㉡ 실이나 끈 등을 구멍이나 틈의 한쪽에 넣어 다른 쪽으로 내다.

걸린 시간 (　　) 분　맞은 개수 (　　) 개

심화 어휘 - 주제별 한자 성어

★ 세상의 변화

격세지감
隔 사이 뜰 격 | 世 인간 세 | 之 어조사 지 | 感 느낄 감

오래지 않은 동안에 몰라보게 변하여 아주 다른 세상이 된 것 같은 느낌.

예) 고향에 들어선 큰 빌딩들을 보며 나는 **격세지감**을 느꼈다.

변화무쌍
變 변할 변 | 化 될 화 | 無 없을 무 | 雙 두 쌍

변하는 정도가 비할 데 없이 심함.

예) 봄 날씨는 **변화무쌍**해서 언제 비가 내릴지 모른다.

상전벽해
桑 뽕나무 상 | 田 밭 전 | 碧 푸를 벽 | 海 바다 해

뽕나무밭이 변하여 푸른 바다가 된다는 뜻으로, 세상일의 변천이 심함을 이르는 말.

예) 이 허허벌판이 아름다운 공원이 되다니, 그야말로 **상전벽해**이다.

어휘 쏙 **변천** 세월의 흐름에 따라 바뀌고 변함.

★ 능력이 뛰어난 사람

군계일학
群 무리 군 | 鷄 닭 계 | 一 한 일 | 鶴 학 학

닭의 무리 가운데에서 한 마리의 학이란 뜻으로, 많은 사람 가운데서 뛰어난 인물을 이르는 말.

예) 금메달을 딴 이세진 선수는 다른 선수들 사이에서 **군계일학**이었다.

낭중지추
囊 주머니 낭 | 中 가운데 중 | 之 어조사 지 | 錐 송곳 추

주머니 속의 송곳이라는 뜻으로, 재능이 뛰어난 사람은 숨어 있어도 저절로 사람들에게 알려짐을 이르는 말.

예) 이 그림은 **낭중지추**라서 미술관 가장 구석에 걸려 있어도 많은 사람들이 그림을 보러 온다.

백미
白 흰 백 | 眉 눈썹 미

흰 눈썹이라는 뜻으로, 여럿 가운데에서 가장 뛰어난 사람이나 훌륭한 물건을 이르는 말.

예) 이번 학예회의 **백미**는 7반의 연극 공연이었다.

확인 학습

▶ 정답 28쪽

1-3 **다음 한자 성어와 그 뜻풀이를 바르게 선으로 이으세요.**

1 격세지감 •　　• ㉠ 변하는 정도가 비할 데 없이 심함.

2 군계일학 •　　• ㉡ 오래지 않은 동안에 몰라보게 변하여 아주 다른 세상이 된 것 같은 느낌.

3 변화무쌍 •　　• ㉢ 닭의 무리 가운데에서 한 마리의 학이란 뜻으로, 많은 사람 가운데서 뛰어난 인물을 이르는 말.

4-5 **다음 한자 성어의 뜻풀이에 알맞은 말을 골라 ○표를 하세요.**

4 상전벽해　뽕나무밭이 변하여 푸른 (바다, 언덕)이/가 된다는 뜻으로, 세상일의 변천이 심함을 이르는 말.

5 낭중지추　주머니 속의 (송곳, 연필)이라는 뜻으로, 재능이 뛰어난 사람은 숨어 있어도 저절로 사람들에게 알려짐을 이르는 말.

6-8 **빈칸에 들어갈 알맞은 한자 성어를 보기에서 찾아 쓰세요.**

보기			
격세지감	낭중지추	백미	변화무쌍

6 어제 축구 경기의 (　　　　)은/는 강우진 선수의 헤딩슛이었다.

7 그 배우는 공주 역부터 무서운 귀신 역까지 (　　　　)한 연기를 선보였다.

8 장영실은 비록 노비였지만 솜씨가 (　　　　)(이)라 세종대왕이 벼슬을 내렸다.

9 **다음 밑줄 친 상황을 표현하기에 알맞은 한자 성어는 무엇인가요?**

> 오랜만에 내가 졸업한 초등학교를 찾아갔다. 그런데 내가 좋아하던 선생님은 다른 곳으로 가시고 <u>학교도 너무 많이 변해서 내가 다녔던 학교 같지 않았다</u>.

① 격세지감　② 군계일학　③ 낭중지추　④ 백미　⑤ 변화무쌍

걸린 시간 　　　분　　맞은 개수 　　　개

공부한 날 ( )월 ( )일

교과 어휘 - 한자어

사회

관광
觀 볼 관 | 光 빛 광

다른 지방이나 다른 나라에 가서 그곳의 풍경, 풍습, 문물 등을 구경함.

예 나는 제주도를 **관광**하고 싶다.

어휘 쏙 풍습 풍속과 습관을 아울러 이르는 말.

유의어 유람 돌아다니며 구경함.

국어

교통수단
交 사귈 교 | 通 통할 통 | 手 손 수 | 段 층계 단

사람이 이동하거나 짐을 옮기는 데 쓰는 수단.

예 지하철은 도시에서 중요한 **교통수단**이다.

어휘 쏙 수단 어떤 목적을 이루기 위한 방법. 또는 그 도구.

국어

교환
交 사귈 교 | 換 바꿀 환

① 서로 바꿈.

예 잘못된 물건은 새것으로 **교환**해 드립니다.

② 서로 주고받고 함.

예 우리 서로가 알고 있는 것들을 **교환**하자.

국어

구도
構 얽을 구 | 圖 그림 도

그림에서 모양, 색깔, 위치 등의 짜임새.

예 그림을 그리기 전에 먼저 **구도**를 잡았다.

유의어 구성 색채와 형태 등의 요소를 조화롭게 조합하는 일.

국어

구별
區 구분할 구 | 別 나눌 별

성질이나 종류에 따라 차이가 남. 또는 성질이나 종류에 따라 갈라놓음.

예 이 옷은 남자 여자 **구별** 없이 입을 수 있는 옷이다.

유의어 분류 종류에 따라서 가름.

과학

구성원
構 얽을 구 | 成 이룰 성 | 員 인원 원

어떤 조직이나 단체를 이루고 있는 사람들.

예 우리 가족의 **구성원**은 네 명이다.

어휘 쏙 조직 특정한 목적을 달성하기 위하여 질서 있는 하나의 집단을 이룸. 또는 그 집단.

사회

규모
規 법 규 | 模 본뜰 모

사물이나 현상의 크기나 범위.

예 이번 행사는 전국적인 **규모**로 열린다.

확인학습

▶ 정답 28쪽

1-3 **다음 낱말과 그 뜻풀이를 바르게 선으로 이으세요.**

1 교환 •   • ㉠ 서로 주고받고 함.

2 구도 •   • ㉡ 사물이나 현상의 크기나 범위.

3 규모 •   • ㉢ 그림에서 모양, 색깔, 위치 등의 짜임새.

4-5 **다음 낱말의 뜻풀이에 알맞은 말을 골라 ○표를 하세요.**

4 구성원 어떤 조직이나 단체를 이루고 있는 (동물, 사람)들.

5 교통수단 사람이 (이동, 이용)하거나 짐을 옮기는 데 쓰는 수단.

6-8 **빈칸에 들어갈 알맞은 낱말을 보기에서 찾아 쓰세요.**

보기: 관광 교환 구별 규모

6 이미 사용한 물건은 ( )해 드릴 수 없습니다.

7 봄이 되자 다른 나라로 ( )을/를 떠나는 사람이 늘었다.

8 올빼미와 부엉이는 귀의 깃털이 있느냐로 ( )할 수 있다.

9-10 **다음 밑줄 친 낱말과 바꾸어 쓸 수 있는 낱말을 보기에서 찾아 쓰세요.**

보기: 구성 분류 유람

9 이 그림의 구도는 아주 신비롭다. ( )

10 영어를 익혀 두면 외국을 관광할 때 도움이 된다. ( )

걸린 시간 분 맞은 개수 개

교과 어휘 - 다의어

걸다

① 벽이나 못 등에 어떤 물체를 떨어지지 않도록 매달아 올려놓다.

예 옷걸이에 옷을 **걸었다**.

② 앞으로의 일에 대한 희망 등을 품거나 기대하다.

예 마지막 판에 승부를 **걸겠다**.

③ 다른 사람을 향해 먼저 어떤 행동을 하다.

예 그는 갑자기 지나가던 사람에게 시비를 **걸었다**.

기다

① 가슴과 배를 바닥으로 향하고 손이나 팔다리 등을 놀려 앞으로 나아가다.

예 아기가 언니를 향해 엉금엉금 **기었다**.

② 게나 가재, 벌레, 뱀 등이 발을 놀리거나 배로 움직여 나아가다.

예 개미가 줄을 지어 나무를 **긴다**.

③ 몹시 느리게 가거나 행동하다.

예 명절에는 고속 도로의 차들이 **기어서** 간다.

교과 어휘 - 동음이의어

감다[1]

눈꺼풀을 내려 눈동자를 덮다.

예 나는 눈을 **감고** 소원을 빌었다.

감다[2]

어떤 물체를 다른 물체에 말거나 빙 두르다.

예 발목이 부러져서 붕대를 **감았다**.

고르다[1]

여럿이 다 높낮이, 크기, 양 등의 차이가 없이 한결같다.

예 은희는 이가 **고르게** 났다.

고르다[2]

여럿 중에서 가려내거나 뽑다.

예 책장에서 아무 책이나 **골라서** 읽기 시작했다.

확인 학습

▶ 정답 28쪽

1-2 **밑줄 친 낱말의 뜻으로 알맞은 것의 기호를 쓰세요.**

1 그렇게 기어서 오늘 안에 도착할 수 있겠니? (　　　)

㉠ 몹시 느리게 가거나 행동하다.

㉡ 게나 가재, 벌레, 뱀 등이 발을 놀리거나 배로 움직여 나아가다.

2 영화를 보다 귀신이 나오는 장면에서 눈을 질끈 감았다. (　　　)

㉠ 눈꺼풀을 내려 눈동자를 덮다.

㉡ 어떤 물체를 다른 물체에 말거나 빙 두르다.

3-5 **다음 밑줄 친 낱말의 뜻풀이를 찾아 바르게 선으로 이으세요.**

3 거실 벽에 내가 그린 그림을 걸었다. •

4 어머니는 막내딸에게 기대를 걸었다. •

5 옆집 아이에게 함께 놀자고 말을 걸었다. •

• ㉠ 다른 사람을 향해 먼저 어떤 행동을 하다.

• ㉡ 앞으로의 일에 대한 희망 등을 품거나 기대하다.

• ㉢ 벽이나 못 등에 어떤 물체를 떨어지지 않도록 매달아 올려놓다.

6-7 **빈칸에 들어갈 알맞은 낱말을 보기 에서 찾아 쓰세요.**

보기 감아 걸어 골라 기어

6 보건 선생님이 다친 손가락에 반창고를 (　　　) 주셨다.

7 바닥에 납작 엎드려 담벼락에 뚫린 틈으로 (　　　) 나갔다.

8-9 **다음 뜻풀이에 알맞은 낱말을 보기 에서 찾아 기호를 쓰세요.**

보기 서윤: 아주머니, 귤을 한 상자 사고 싶은데 어떤 것을 ㉠ 고르는 게 좋을까요?
아주머니: 귤끼리 크기가 ㉡ 고르고 껍질 색깔이 진한 것이 좋단다.

8 여럿 중에서 가려내거나 뽑다. (　　　)

9 여럿이 다 높낮이, 크기, 양 등의 차이가 없이 한결같다. (　　　)

걸린 시간 　　 분 　　 맞은 개수 　　 개

심화 어휘 - 주제별 속담

★ 실속이 없음

냉수 먹고 이 쑤시기
잘 먹은 체하며 이를 쑤신다는 뜻으로, 실속은 없으면서 무엇이 있는 체함을 이르는 말.
예 읽지 않은 책으로 독서 감상문을 쓰다니, **냉수 먹고 이 쑤시기**다.

빛 좋은 개살구
겉보기에는 먹음직스러워 보이지만 맛은 없는 개살구처럼 겉만 그럴듯하고 실속이 없는 경우를 이르는 말.
예 이 가방은 **빛 좋은 개살구**마냥 겉만 예쁘고 금방 망가져 버렸다.

소문난 잔치에 먹을 것 없다
떠들썩한 소문이나 큰 기대에 비하여 실속이 없거나 소문이 실제와 일치하지 않는 경우를 이르는 말.
예 **소문난 잔치에 먹을 것 없다**더니 재미있다던 영화는 정말 지루했다.

심화 어휘 - 주제별 관용어

★ 가슴과 관련된 관용어

가슴에 새기다
잊지 않게 단단히 마음에 기억하다.
예 오늘 겪은 고마운 일을 **가슴에 새겼다**.

가슴에 손을 얹다
양심에 근거를 두다.
예 네가 거짓말을 한 적이 없는지 **가슴에 손을 얹고** 생각해 보아라.
어휘 쏙 근거 어떤 일이나 의견, 논쟁 등이 나오게 된 바탕이나 까닭.

가슴이 뜨겁다
깊고 큰 사랑과 배려를 받아 고마움으로 마음의 감동이 크다.
예 나는 선생님만 생각하면 **가슴이 뜨겁다**.

확인학습

▶ 정답 28쪽

1-3 **다음 관용어와 그 뜻풀이를 바르게 선으로 이으세요.**

1	가슴에 새기다 •	• ㉠ 양심에 근거를 두다.
2	가슴에 손을 얹다 •	• ㉡ 잊지 않게 단단히 마음에 기억하다.
3	가슴이 뜨겁다 •	• ㉢ 깊고 큰 사랑과 배려를 받아 고마움으로 마음의 감동이 크다.

4-5 **다음 뜻풀이에 알맞은 속담을 보기에서 찾아 기호를 쓰세요.**

보기 ㉠ 빛 좋은 개살구 ㉡ 냉수 먹고 이 쑤시기 ㉢ 소문난 잔치에 먹을 것 없다

4 잘 먹은 체하며 이를 쑤신다는 뜻으로, 실속은 없으면서 무엇이 있는 체 함을 이르는 말. (　　　)

5 떠들썩한 소문이나 큰 기대에 비하여 실속이 없거나 소문이 실제와 일치하지 않는 경우를 이르는 말. (　　　)

6-7 **빈칸에 들어갈 알맞은 낱말을 보기에서 찾아 쓰세요.**

보기 대회 빛 잔치 향기

6 케이크 위에 장식된 초콜릿은 정말 예쁘지만 맛이 없어서 그야말로 (　　　) 좋은 개살구였다.

7 소문난 (　　　)에 먹을 것 없다더니 물고기가 잘 잡힌다던 그 낚시터에서 물고기를 한 마리도 잡지 못했다.

8 **다음 상황에 알맞은 관용어를 골라 ○표를 하세요.**

내가 팔을 다쳐 병원에 입원해 있던 어느 날이었다. 침대에 누워 있는데 선생님과 우리 반 친구들이 찾아왔다. 친구들은 빨리 나으라며 나를 위로해 주었다. 나는 너무 고마워서 가슴이 (뜨거웠다, 차가웠다). 나는 이 일을 오랫동안 가슴에 (새기기로, 손을 얹기로) 했다.

걸린 시간 　　 분 　 맞은 개수 　　 개

04회

공부한 날 ( )월 ( )일

교과 어휘 - 한자어

과학 □ □

금속
金 쇠 금 | 屬 무리 속

열이나 전기를 잘 전도하고, 펴지고 늘어나는 성질이 풍부하며, 특수한 광택을 가진 물질을 통틀어 이르는 말.

예 트럼펫은 **금속**으로 만든 악기이다.

어휘 쏙 전도 열 또는 전기가 물체 속을 이동하는 일.

국어 □ □

기준
基 터 기 | 準 준할 준

기본이 되는 표준.

예 각자가 생각하는 아름다움의 **기준**은 다르다.

어휘 쏙 표준 일반적인 것. 또는 평균적인 것.

국어 □ □

기증
寄 부칠 기 | 贈 줄 증

선물이나 기념으로 남에게 물품을 거저 줌.

예 김 선생님은 학교 도서관에 책을 500권 **기증**하였다.

유의어 기부 자선 사업이나 공공사업을 돕기 위하여 돈이나 물건 등을 대가 없이 내놓음.

국어 □ □

기호
記 기록할 기 | 號 부르짖을 호

어떠한 뜻을 나타내기 위하여 쓰이는 부호, 문자, 표지 등을 통틀어 이르는 말.

예 마침표는 글 가운데서 문장의 끝맺음을 나타내는 **기호**이다.

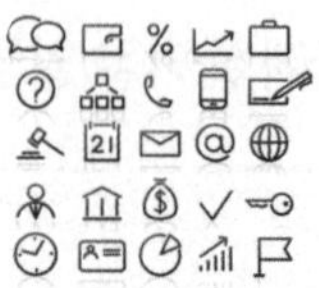

유의어 신호 일정한 부호, 표지, 소리, 몸짓 등으로 특정한 내용 또는 정보를 전달하거나 지시를 함.

사회 □ □

노선
路 길 노 | 線 줄 선

자동차 선로, 철도 선로 등과 같이 일정한 두 지점을 정기적으로 오가는 교통선.

예 서울과 대전을 오가는 버스 **노선**이 생겼다.

어휘 쏙 정기적 기한이나 기간이 일정하게 정하여져 있는. 또는 그런 것.

사회 □ □

노후화
老 늙을 노 | 朽 썩을 후 | 化 될 화

오래되거나 낡아서 쓸모가 없게 됨.

예 서울시는 **노후화**된 열차를 새것으로 바꾸겠다고 밝혔다.

국어 □ □

농작물
農 농사 농 | 作 지을 작 | 物 물건 물

논밭에 심어 가꾸는 곡식이나 채소.

예 우리 삼촌은 여러 가지 **농작물**을 가꾸신다.

확인 학습

▶ 정답 28쪽

1-3 **다음 낱말과 그 뜻풀이를 바르게 선으로 이으세요.**

1 기증 • • ㉠ 오래되거나 낡아서 쓸모가 없게 됨.

2 노후화 • • ㉡ 논밭에 심어 가꾸는 곡식이나 채소.

3 농작물 • • ㉢ 선물이나 기념으로 남에게 물품을 거저 줌.

4-5 **다음 낱말의 뜻풀이에 알맞은 말을 골라 ○표를 하세요.**

4 기준 기본이 되는 (표시, 표준).

5 노선 자동차 선로, 철도 선로 등과 같이 일정한 두 지점을 (일방적, 정기적)으로 오가는 교통선.

6-8 **빈칸에 들어갈 알맞은 낱말을 보기 에서 찾아 쓰세요.**

보기 금속 기증 기호 농작물

6 이 옷걸이는 (   )(으)로 만들어져서 잘 휘어진다.

7 저는 (   ) 3번 박민수를 학생 회장으로 추천합니다.

8 재래시장에 가면 오이, 호박 같은 (   )을/를 싸게 살 수 있다.

9-10 **다음 밑줄 친 낱말과 바꾸어 쓸 수 있는 낱말을 보기 에서 찾아 쓰세요.**

보기 기부 신호 정기적

9 빨간불은 멈춰 서라는 <u>기호</u>이다. (   )

10 언니는 중학교를 졸업하면서 교복을 학교에 <u>기증</u>했다. (   )

걸린 시간 분 맞은 개수 개

공부한 날 (　)월 (　)일

교과 어휘 - 고유어

국어 □ □

끼적이다

글씨나 그림 등을 아무렇게나 쓰거나 그리다.

예 호영이는 항상 가지고 다니는 수첩에 무언가 끼적였다.

국어 □ □

내디디다

① 밖이나 앞쪽으로 발을 옮겨 다른 장소로 이동하다.

예 앞이 안 보여 한 걸음도 내디딜 수 없었다.

② 무엇을 시작하거나, 새로운 범위 안에 처음 들어서다.

예 과학자가 되기 위한 첫걸음을 내디뎠다.

어휘 쏙 범위 ① 일정하게 한정된 영역. ② 어떤 것이 미치는 한계.

사회 □ □

내세우다

① 주장이나 의견 등을 내놓고 주장하거나 지지하다.

예 그는 자기 말만 옳다고 내세웠다.

② 내놓고 자랑하거나 높이 평가하다.

예 이 작품은 세계에 내세울 만큼 뛰어나다.

유의어 과시하다 ① 자랑하여 보이다. ② 사실보다 크게 나타내어 보이다.

국어 □ □

내팽개치다

냅다 던져 버리다.

예 주희는 방 안에 가방을 내팽개치고 놀러 나갔다.

어휘 쏙 냅다 몹시 빠르고 세찬 모양.

국어 □ □

넓디넓다

더할 수 없을 정도로 매우 넓다.

예 언젠가 넓디넓은 우주로 여행을 떠나고 싶다.

반의어 좁디좁다 더할 나위 없이 좁다.

국어 □ □

눈길

① 눈이 가는 곳. 또는 눈으로 보는 방향.

예 하품을 하다가 선생님과 눈길이 마주쳤다.

② 주의나 관심을 이르는 말.

예 그는 다른 사람에게 눈길도 주지 않았다.

유의어 시선 ① 눈이 가는 길. 또는 눈의 방향. ② 주의 또는 관심을 이르는 말.

국어 □ □

다독이다

남의 약한 점을 따뜻이 어루만져 감싸고 달래다.

예 언니는 슬퍼하고 있는 나를 다독여 주었다.

확인 학습

1-3 **다음 뜻풀이에 알맞은 낱말을 보기에서 찾아 쓰세요.**

보기 끼적이다 내디디다 내세우다 넓디넓다

1 글씨나 그림 등을 아무렇게나 쓰거나 그리다. ( )

2 주장이나 의견 등을 내놓고 주장하거나 지지하다. ( )

3 무엇을 시작하거나, 새로운 범위 안에 처음 들어서다. ( )

4-6 **다음 낱말의 뜻풀이에 알맞은 말을 골라 ○표를 하세요.**

4 눈길 주의나 (관심, 관찰)을 이르는 말.

5 다독이다 남의 (싫은, 약한) 점을 따뜻이 어루만져 감싸고 달래다.

6 내디디다 밖이나 앞쪽으로 발을 (올려, 옮겨) 다른 장소로 이동하다.

7-9 **다음 낱말이 들어갈 문장을 찾아 바르게 선으로 이으세요.**

7 내세우는 •　　• ㉠ 새로 지어진 도서관은 ( ) 깨끗했다.

8 내팽개치며 •　　• ㉡ 그는 잘난 체하거나 자기를 ( ) 법이 없었다.

9 넓디넓고 •　　• ㉢ 꽃에 붙은 벌레를 보고 깜짝 놀라 꽃다발을 ( ) 소리를 질렀다.

10 **보기의 밑줄 친 낱말과 바꾸어 쓸 수 있는 낱말은 무엇인가요?**

보기 무언가 깨지는 소리가 나서 <u>눈길</u>을 그쪽으로 돌렸다.

① 시선　② 시작　③ 시청　④ 시험

걸린 시간 분　맞은 개수 개

심화 어휘 - 헷갈리기 쉬운 낱말

기르다

① 보살펴 자라게 하다.

예 나는 강아지 두 마리를 **기른다**.

② 사람을 가르쳐 키우다.

예 내가 **길러** 낸 제자들이 찾아올 때면 뿌듯하다.

기리다

뛰어난 업적이나 바람직한 정신, 위대한 사람 등을 칭찬하고 기억하다.

예 한글날은 한글을 창제하신 세종대왕의 업적을 **기리는** 날이다.

날다

공중에 떠서 어떤 위치에서 다른 위치로 움직이다.

예 참새가 하늘을 **날고** 있다.

나르다

물건을 한 곳에서 다른 곳으로 옮기다.

예 이 화분 좀 저쪽으로 **날라** 줘.

다리다

옷이나 천 등의 주름이나 구김을 펴고 줄을 세우기 위하여 다리미로 문지르다.

예 셔츠를 **다려서** 구김을 없앴다.

달이다

① 액체 등을 끓여서 진하게 만들다.

예 딸기를 갈아서 계속 **달이니** 잼이 되었다.

② 약재 등에 물을 부어 우러나도록 끓이다.

예 한의원에서 약을 **달이는** 냄새가 났다.

확인 학습

▶ 정답 28쪽

1-3 **다음 낱말과 그 뜻풀이를 바르게 선으로 이으세요.**

1 기르다 • • ㉠ 사람을 가르쳐 키우다.

2 나르다 • • ㉡ 액체 등을 끓여서 진하게 만들다.

3 달이다 • • ㉢ 물건을 한 곳에서 다른 곳으로 옮기다.

4-6 **빈칸에 들어갈 알맞은 낱말을 보기에서 찾아 쓰세요.**

보기				
길러	날라	날아	다려	달여

4 직접 차를 ( ) 친구들에게 대접했다.

5 갈매기가 내 머리 위로 ( ) 새우깡을 받아먹었다.

6 내가 일곱 살이 될 때까지 할머니가 나를 ( ) 주셨다.

7-8 **다음 문장에 알맞은 낱말을 골라 ○표를 하세요.**

7 친구와 연탄 (나르기, 날기) 봉사를 하고 왔다.

8 돌아가신 선생님의 뜻을 (기려, 길러) 장례식은 하지 않기로 했다.

9-10 **다음 글에서 잘못된 부분을 찾아 바르게 고쳐 쓰세요.**

오늘은 동생과 함께 어머니를 도와 집안일을 했다. 먼저 창문을 열고 집 안 곳곳을 쓸고 닦았다. 그리고 화분을 화장실로 날아서 물을 주었다. 아버지의 와이셔츠도 달였다. 참 보람찬 하루였다.

9 ( ) → ( )

10 ( ) → ( )

걸린 시간 분 맞은 개수 개

05회

공부한 날 ( )월 ( )일

교과 어휘 - 한자어

국어

다수결
多 많을 다 | 數 셈 수 | 決 결단할 결

회의에서 많은 사람의 의견에 따라 안건의 가부를 결정하는 일.

예 학교 규칙을 바꿀지는 **다수결**로 결정하겠습니다.

어휘 쏙 가부 찬성과 반대를 아울러 이르는 말.

과학

단서
端 끝 단 | 緖 실마리 서

어떤 문제를 해결하는 방향으로 이끌어 가는 일의 첫 부분.

예 바닥에 남은 발자국이 범인을 찾는 결정적 **단서**가 되었다.

유의어 실마리 ① 감겨 있거나 헝클어진 실의 첫머리. ② 일이나 사건을 풀어 나갈 수 있는 첫머리.

사회

단정
斷 끊을 단 | 定 정할 정

딱 잘라서 판단하고 결정함.

예 한 번 늦은 것 가지고 날 지각쟁이라고 **단정** 짓지 마.

국어

당선
當 마땅 당 | 選 가릴 선

① 선거에서 뽑힘.

예 제가 대통령으로 **당선**되면 안전한 사회를 만들겠습니다.

② 심사나 선발에서 뽑힘.

예 그는 이번에 쓴 소설로 문학상에 **당선**했다.

반의어 낙선 ① 선거에서 떨어짐. ② 심사나 선발에서 떨어짐.

국어

대담
對 대할 대 | 談 말씀 담

마주 대하고 말함. 또는 그런 말.

예 두 나라의 대표는 30여 분 동안 **대담**을 나누었다.

유의어 면담 서로 만나서 이야기함.

사회

대안
代 대신할 대 | 案 책상 안

어떤 안(案)을 대신하는 안.

예 그의 의견이 맘에 들지 않았지만 별다른 **대안**이 없었다.

어휘 쏙 안(案) 궁리하여 내놓은 생각이나 계획.

국어

대피
待 기다릴 대 | 避 피할 피

위험이나 피해를 입지 않도록 일시적으로 피함.

예 아파트에 불이 나자 사람들이 건물 밖으로 **대피**했다.

어휘 쏙 일시적 짧은 한때의. 또는 그런 것.

유의어 피신 위험을 피하여 몸을 숨김.

확인 학습

1-3 **다음 낱말과 그 뜻풀이를 바르게 선으로 이으세요.**

1 다수결 • • ㉠ 딱 잘라서 판단하고 결정함.

2 단정 • • ㉡ 마주 대하고 말함. 또는 그런 말.

3 대담 • • ㉢ 회의에서 많은 사람의 의견에 따라 안건의 가부를 결정하는 일.

4-6 **다음 밑줄 친 낱말과 바꾸어 쓸 수 있는 낱말을 찾아 바르게 선으로 이으세요.**

4 홍수가 일어나면 높은 곳으로 <u>대피</u>해야 한다. • • ㉠ 면담

5 나는 어느 중학교를 갈지 결정하기 전에 선생님을 만나 <u>대담</u>을 하였다. • • ㉡ 실마리

6 이 물건은 옛날 사람들이 어떻게 살았는지 알려 주는 소중한 <u>단서</u>이다. • • ㉢ 피신

7-9 **빈칸에 들어갈 알맞은 낱말을 보기 에서 찾아 쓰세요.**

보기	단정	당선	대안	대피

7 투표를 통해 최영수 씨가 대표로 (   )되었다.

8 특별한 (   ) 없이 남의 의견에 반대하는 것은 옳지 못하다.

9 예서는 두 사람이 함께 있는 것을 보고 둘이 사귀는 사이라고 (   )했다.

10 **보기 의 밑줄 친 낱말과 뜻이 <u>반대인</u> 낱말은 무엇인가요?**

보기 그는 비록 미술 대회에서 <u>낙선</u>했지만 그림 그리기를 포기하지 않았다.

① 당면 ② 당선 ③ 당연 ④ 당첨

걸린 시간 (   ) 분 맞은 개수 (   ) 개

교과 어휘 - 고유어

국어 □ □

더미

많은 물건이 한데 모여 쌓인 큰 덩어리.

예 나는 장난감 **더미** 속에서 곰 인형을 찾아냈다.

유의어 **뭉치** 한데 뭉치거나 말리거나 감은 덩이.

국어 □ □

덜컥

① 갑자기 놀라거나 겁에 질려 가슴이 내려앉는 모양.

예 숙제를 안 챙겨 온 것을 알고 가슴이 **덜컥** 내려앉았다.

② 어떤 일이 매우 갑작스럽게 진행되는 모양.

예 그는 아무 생각 없이 **덜컥** 그 일을 맡아 버렸다.

어휘 쏙 **진행되다** ① 앞으로 향하여 나아가게 되다. ② 일 등이 처리되어 나가게 되다.

국어 □ □

덧붙이다

붙은 위에 겹쳐 붙이다.

예 낡은 벽지 위에 새 벽지를 **덧붙였다**.

과학 □ □

돋우다

① 위로 끌어 올려 도드라지거나 높아지게 하다.

예 나는 발끝을 **돋우어** 바깥을 내다보았다.

② 감정이나 기색 등을 생겨나게 하다.

예 자물쇠가 걸려 있는 상자는 내 호기심을 **돋우었다**.

유의어 **부추기다** 감정이나 상황 등이 더 심해지도록 영향을 미치다.

국어 □ □

되받아치다

남의 행동이나 말에 엇서며 대들다.

예 토론 중에 상대방의 말을 **되받아쳤다**.

어휘 쏙 **엇서다** 양보하거나 수그리지 않고 맞서다.

국어 □ □

두리번거리다

눈을 크게 뜨고 여기저기를 자꾸 휘둘러 살펴보다.

예 모기를 잡으려고 방 안을 계속 **두리번거렸다**.

국어 □ □

뒤엉키다

마구 엉키다.

예 실이 **뒤엉켜서** 어디가 끝부분인지 찾기 어려워졌다.

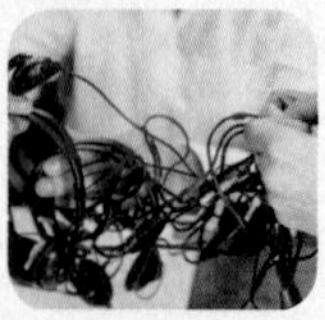

유의어 **얽히다** ① 노끈이나 줄 등이 이리저리 걸리다. ② 이리저리 관련되다.

확인 학습

▶ 정답 29쪽

1-3 **다음 뜻풀이에 알맞은 낱말을 보기에서 찾아 쓰세요.**

보기: 덧붙이다　　돋우다　　되받아치다　　두리번거리다

1 남의 행동이나 말에 엇서며 대들다. (　　　　)

2 위로 끌어 올려 도드라지거나 높아지게 하다. (　　　　)

3 눈을 크게 뜨고 여기저기를 자꾸 휘둘러 살펴보다. (　　　　)

4-5 **다음 낱말의 뜻풀이에 알맞은 말을 골라 ○표를 하세요.**

4 더미　많은 (물건, 사람)이 한데 모여 쌓인 큰 덩어리.

5 덜컥　갑자기 놀라거나 겁에 질려 (가슴, 이마)이/가 내려앉는 모양.

6-8 **다음 낱말이 들어갈 문장을 찾아 바르게 선으로 이으세요.**

6 덜컥 •　　• ㉠ 한지를 여러 겹 (　　　) 인형을 만들었다.

7 덧붙여 •　　• ㉡ 건강했던 그는 (　　　) 병에 걸려 버렸다.

8 돋우고 •　　• ㉢ 수연이는 자꾸 같은 실수를 해서 언니의 화를 (　　　) 말았다.

9 **보기의 밑줄 친 낱말과 바꾸어 쓸 수 있는 낱말은 무엇인가요?**

보기: 그 일은 여러 가지 문제가 <u>뒤엉켜</u> 있어서 해결하기 어렵다.

① 어지러워　　② 어려　　③ 얽혀　　④ 엇서

걸린 시간 (　　) 분　　맞은 개수 (　　) 개

심화 어휘 - 주제별 한자 성어

★ 애정과 그리움

상사불망
相 서로 상 | 思 생각 사 | 不 아닐 불 | 忘 잊을 망

서로 그리워하여 잊지 못함.
예 이 시는 두 남녀의 **상사불망**을 다루고 있다.

연모지정
戀 그리워할 연 | 慕 그릴 모 | 之 어조사 지 | 情 뜻 정

사랑하여 간절히 그리워하는 마음.
예 편지에는 미국에 있는 지애의 **연모지정**이 담겨 있었다.

오매불망
寤 잠 깰 오 | 寐 잘 매 | 不 아닐 불 | 忘 잊을 망

자나 깨나 잊지 못함.
예 할아버지는 북한에 두고 온 가족들을 **오매불망** 그리워하셨다.

★ 위태로운 상황

누란지세
累 여러 누 | 卵 알 란 | 之 어조사 지 | 勢 형세 세

층층이 쌓아 놓은 알의 형세라는 뜻으로, 몹시 위태로운 형세를 이르는 말.
예 지진을 겪은 뒤 **누란지세**에 있던 담벼락이 무너져 버렸다.
어휘 쏙 **형세** 일이 되어 가는 형편.

사면초가
四 넉 사 | 面 얼굴 면 | 楚 초나라 초 | 歌 노래 가

아무에게도 도움을 받지 못하는, 외롭고 곤란한 지경에 빠진 형편을 이르는 말.
예 모두가 내 편을 들어주지 않으니 그야말로 **사면초가**였다.

풍전등화
風 바람 풍 | 前 앞 전 | 燈 등 등 | 火 불 화

바람 앞의 등불이라는 뜻으로, 사물이 매우 위태로운 처지에 놓여 있음을 이르는 말.
예 **풍전등화** 상태였던 그 회사는 결국 망하고 말았다.

확인 학습

1-3 다음 한자 성어와 그 뜻풀이를 바르게 선으로 이으세요.

1 누란지세 • • ㉠ 자나 깨나 잊지 못함.

2 연모지정 • • ㉡ 사랑하여 간절히 그리워하는 마음.

3 오매불망 • • ㉢ 층층이 쌓아 놓은 알의 형세라는 뜻으로, 몹시 위태로운 형세를 이르는 말.

4-5 다음 한자 성어의 뜻풀이에 알맞은 말을 골라 ○표를 하세요.

4 상사불망 서로 (그리워하여, 미워하여) 잊지 못함.

5 사면초가 아무에게도 (도움, 도전)을 받지 못하는, 외롭고 곤란한 지경에 빠진 형편을 이르는 말.

6-8 빈칸에 들어갈 알맞은 한자 성어를 보기에서 찾아 쓰세요.

보기 연모지정 오매불망 풍전등화

6 할머니 댁에 갔을 때 할머니가 해 주신 반찬이 ( ) 떠오른다.

7 〈로미오와 줄리엣〉을 읽으면 두 주인공의 ( )을/를 느낄 수 있다.

8 북극곰들은 얼음이 다 녹으면 살 곳이 없어질 ( )의 위기에 놓였다.

9 다음 밑줄 친 상황을 표현하기에 알맞은 한자 성어는 무엇인가요?

피구 경기를 하다 보니 우리 편은 나 혼자 남았다. 상대편에는 아직 다섯 명의 선수가 남아 있었다. 나는 <u>사방이 적으로 둘러싸인 듯한 기분이 들었다.</u>

① 누란지세 ② 사면초가 ③ 상사불망 ④ 연모지정 ⑤ 오매불망

걸린 시간 ( ) 분 맞은 개수 ( ) 개

06회

공부한 날 ( )월 ( )일

교과 어휘 - 한자어

사회

도청
道 길 도 | 廳 관청 청

도의 행정을 맡아 처리하는 지방 관청.

예 경기도의 **도청**은 수원시에 있다.

어휘 쏙 행정 정치나 사무를 행함.

사회

동등
同 한가지 동 | 等 무리 등

등급이나 정도가 같음. 또는 그런 등급이나 정도.

예 우리 회사는 외국인 노동자를 우리 국민과 **동등**하게 대우한다.

유의어 대등 서로 견주어 높고 낮음이나 낫고 못함이 없이 비슷함.

사회

동의
同 한가지 동 | 意 뜻 의

① 의사나 의견을 같이함.

예 나도 네 생각에 **동의**한다.

② 다른 사람의 행위를 마땅하다고 받아들이거나 옳다고 인정함.

예 집을 수리하기 전에 이웃집의 **동의**를 구했다.

어휘 쏙 의사 무엇을 하고자 하는 생각.

반의어 이의 다른 의견이나 의사.

국어

마비
痲 저릴 마 | 痺 저릴 비

① 신경이나 근육이 형태의 변화 없이 기능을 잃어버리는 일.

예 베토벤은 청각이 **마비**되었지만 음악을 그만두지 않았다.

② 본래의 기능이 둔하여지거나 정지되는 일을 이르는 말.

예 전화가 너무 많이 와서 일이 **마비**되었다.

국어

맹세
盟 맹세 맹 | 誓 맹세할 서

일정한 약속이나 목표를 꼭 실천하겠다고 다짐함.

예 나는 혜정이의 비밀을 지켜 주기로 **맹세**했다.

유의어 선서 여럿 앞에서 성실할 것을 맹세함.

국어

면제
免 면할 면 | 除 덜 제

책임이나 의무 등을 면하여 줌.

예 65세 이상의 어르신들은 지하철 요금을 **면제**받는다.

과학

모형
模 본뜰 모 | 型 모형 형

실물을 모방하여 만든 물건.

예 빵집 간판에 먹음직스러운 빵 **모형**이 붙어 있다.

어휘 쏙 모방 다른 것을 본뜨거나 본받음.

확인 학습

1-3 **다음 낱말과 그 뜻풀이를 바르게 선으로 이으세요.**

1 동등 • • ㉠ 책임이나 의무 등을 면하여 줌.

2 마비 • • ㉡ 등급이나 정도가 같음. 또는 그런 등급이나 정도.

3 면제 • • ㉢ 신경이나 근육이 형태의 변화 없이 기능을 잃어버리는 일.

4-5 **다음 낱말의 뜻풀이에 알맞은 말을 골라 ○표를 하세요.**

4 모형 실물을 (모방, 모색)하여 만든 물건.

5 동의 다른 사람의 행위를 마땅하다고 받아들이거나 (그르다고, 옳다고) 인정함.

6-8 **빈칸에 들어갈 알맞은 낱말을 보기에서 찾아 쓰세요.**

보기: 도청 동의 마비 맹세

6 (   )에 가면 여권을 만들 수 있다.

7 도로에서 사고가 나면서 교통이 (   )되었다.

8 수학여행에 가기 전에 부모님의 (   )을/를 받아 오세요.

9-10 **다음 밑줄 친 낱말과 바꾸어 쓸 수 있는 낱말을 보기에서 찾아 쓰세요.**

보기: 대등 선서 이의

9 한국은 비록 졌지만 미국과 동등한 실력으로 경기를 펼쳤다. (   )

10 대회에 참가한 선수들은 정정당당한 승부를 다짐하는 맹세를 했다. (   )

걸린 시간 (   ) 분 맞은 개수 (   ) 개

공부한 날 ( )월 ( )일

교과 어휘 - 다의어

끌다

① 바닥에 댄 채로 잡아당기다.

예 문 앞에 배달된 물통을 집 안까지 **끌어서** 옮겼다.

② 남의 관심 등을 쏠리게 하다.

예 화려한 머리 색깔 때문에 사람들의 관심을 **끌었다**.

③ 시간이나 일을 늦추거나 미루다.

예 시간 **끌지** 말고 빨리 말해라.

녹다

① 얼음이나 얼음같이 매우 차가운 것이 열을 받아 액체가 되다.

예 봄이 되면서 강물이 **녹기** 시작했다.

② 추워서 굳어진 몸이나 신체 부위가 풀리다.

예 난로에 손이 좀 **녹으면** 가거라.

③ 어떤 물체나 현상 등에 스며들거나 동화되다.

예 새로 이사 온 아이는 어느새 우리 무리에 **녹아** 있었다.

어휘 쏙 **동화** 다르던 것이 서로 같게 됨.

교과 어휘 - 동음이의어

단지[1]
但 다만 단 | 只 다만 지

다른 것이 아니라 오로지.

예 그것은 **단지** 너의 상상일 뿐이다.

단지[2]

목이 짧고 배가 부른 작은 항아리.

예 어머니가 **단지**에서 간장을 뜨셨다.

동요[1]
動 움직일 동 | 搖 흔들릴 요

① 물체 등이 흔들리고 움직임.

예 버스의 **동요**가 심해지면서 멀미가 일었다.

② 생각이나 처지가 튼튼하거나 굳지 못하고 흔들림.

예 은희는 아무런 표정의 **동요**도 없이 벌레를 잡았다.

동요[2]
童 아이 동 | 謠 노래 요

어린이를 위하여 어린이의 마음을 바탕으로 지은 노래.

예 음악 시간에 세 가지 **동요**를 이어서 불렀다.

확인 학습

▶ 정답 29쪽

1-2 **밑줄 친 낱말의 뜻으로 알맞은 것의 기호를 쓰세요.**

1 요즘 인기를 끌고 있는 가수 꿈틀 씨와 이야기 나누어 보겠습니다. (　　　)

㉠ 바닥에 댄 채로 잡아당기다.

㉡ 남의 관심 등을 쏠리게 하다.

2 파도가 일자 배가 동요하기 시작했다. (　　　)

㉠ 물체 등이 흔들리고 움직임.

㉡ 어린이를 위하여 어린이의 마음을 바탕으로 지은 노래.

3-5 **다음 밑줄 친 낱말의 뜻풀이를 찾아 바르게 선으로 이으세요.**

3 처마의 고드름이 녹아서 물이 뚝뚝 흘렀다. •

4 따뜻한 방 안에 들어오니 추웠던 몸이 녹았다. •

5 소설 〈토지〉에는 우리나라의 역사가 녹아 있다. •

• ㉠ 추워서 굳어진 몸이나 신체 부위가 풀리다.

• ㉡ 어떤 물체나 현상 등에 스며들거나 동화되다.

• ㉢ 얼음이나 얼음같이 매우 차가운 것이 열을 받아 액체가 되다.

6-7 **빈칸에 들어갈 알맞은 낱말을 보기 에서 찾아 쓰세요.**

보기			
끌며	녹으며	단지	동요

6 개들이 썰매를 (　　　) 힘차게 달려간다.

7 밤길이 무서워서 길을 가며 (　　　)를 한 곡 불렀다.

8-9 **다음 뜻풀이에 알맞은 낱말을 보기 에서 찾아 기호를 쓰세요.**

> **보기** 엄마: 옆집 마당의 ㉠단지를 죄다 깨뜨리면 어떡하니?
> 민석: 저는 ㉡단지 현호한테 공을 차 주려던 것뿐이었어요.

8 다른 것이 아니라 오로지. (　　　)

9 목이 짧고 배가 부른 작은 항아리. (　　　)

걸린 시간 　　 분 　　 맞은 개수 　　 개

심화 어휘 - 주제별 속담

★ 사람의 마음이나 행동

자라 보고 놀란 가슴 솥뚜껑 보고 놀란다

어떤 사물에 몹시 놀란 사람은 비슷한 사물만 보아도 겁을 냄을 이르는 말.

예 **자라 보고 놀란 가슴 솥뚜껑 보고 놀란다**더니 어렸을 때 개에게 물렸던 석호는 강아지만 봐도 무서워한다.

지렁이도 밟으면 꿈틀한다

아무리 눌려 지내는 미천한 사람이나, 순하고 좋은 사람이라도 너무 업신여기면 가만있지 아니한다는 말.

예 **지렁이도 밟으면 꿈틀한다**더니 착한 지연이는 누가 제 동생을 괴롭히자 몹시 화를 냈다.

어휘 쏙 미천하다 신분이나 지위 등이 하찮고 천하다.

호랑이에게 물려 가도 정신만 차리면 산다

아무리 위급한 경우를 당하더라도 정신만 똑똑히 차리면 위기를 벗어날 수가 있다는 말.

예 **호랑이에게 물려 가도 정신만 차리면 산다**고 했으니 길을 잃으면 겁먹지 말고 주변 어른에게 도움을 요청하자.

심화 어휘 - 주제별 관용어

★ 걸음과 관련된 관용어

걸음마를 떼다

어떤 일이나 사업을 처음 시작함을 이르는 말.

예 내 영어 말하기는 이제 막 **걸음마를 뗀** 정도이다.

걸음을 재촉하다

① 길을 갈 때에 빨리 서둘러 가다.

예 약속 시간에 늦을까 봐 **걸음을 재촉했다**.

② 빨리 갈 것을 요구하다.

예 쉬고 싶었지만 친구들이 **걸음을 재촉해서** 계속 산을 올라야 했다.

걸음을 하다

웃어른이나 지위가 높은 사람이 들름을 높여 이르는 말.

예 먼 곳에서 **걸음을 하신** 여러분께 진심으로 감사드립니다.

확인 학습

1-3 **다음 관용어와 그 뜻풀이를 바르게 선으로 이으세요.**

1 걸음마를 떼다 •
2 걸음을 재촉하다 •
3 걸음을 하다 •

• ㉠ 길을 갈 때에 빨리 서둘러 가다.
• ㉡ 어떤 일이나 사업을 처음 시작함을 이르는 말.
• ㉢ 웃어른이나 지위가 높은 사람이 들름을 높여 이르는 말.

4-5 **다음 뜻풀이에 알맞은 속담을 보기에서 찾아 기호를 쓰세요.**

보기
㉠ 지렁이도 밟으면 꿈틀한다
㉡ 자라 보고 놀란 가슴 솥뚜껑 보고 놀란다
㉢ 호랑이에게 물려 가도 정신만 차리면 산다

4 어떤 사물에 몹시 놀란 사람은 비슷한 사물만 보아도 겁을 냄을 이르는 말. (　　　)

5 아무리 위급한 경우를 당하더라도 정신만 똑똑히 차리면 위기를 벗어날 수가 있다는 말. (　　　)

6-7 **빈칸에 들어갈 알맞은 낱말을 보기에서 찾아 쓰세요.**

보기 굼벵이 살쾡이 지렁이 호랑이

6 (　　　)도 밟으면 꿈틀한다더니 계속 시험에서 꼴찌만 하던 나영이는 친구들의 놀림을 받은 뒤 매일 공부해서 반의 1등이 되었다.

7 불이 나는 것을 보고서도 차분하게 119에 신고해 사람들을 구하다니, (　　　)에게 물려 가도 정신만 차리면 산다는 말이 정말이구나.

8 **다음 상황에 알맞은 관용어를 골라 ○표를 하세요.**

우리 반 친구들은 오랫동안 형편이 어려운 친구들을 도와줄 방법을 찾다가 매주 목요일마다 학교에 나눔 장터를 열기로 했다. 오늘은 나눔 장터가 걸음마를 (떼는, 띄우는) 날이다. 나눔 장터가 열리는 자리에 교장 선생님이 걸음을 (재촉하셨다, 하셨다).

걸린 시간 　　 분 　　 맞은 개수 　　 개

07회

공부한 날 ( )월 ( )일

교과 어휘 - 한자어

과학 □ □

무인도

無 없을 무 | 人 사람 인 | 島 섬 도

사람이 살지 않는 섬.

예 새를 관찰하기 위해 **무인도**에 들어갔다.

국어 □ □

무진장

無 없을 무 | 盡 다할 진 | 藏 감출 장

다함이 없이 굉장히 많음.

예 **무진장** 애를 썼지만 결국 실패했다.

유의어 무궁무진 끝이 없고 다함이 없음.

국어 □ □

문맹

文 글월 문 | 盲 눈 멀 맹

배우지 못하여 글을 읽거나 쓸 줄을 모름. 또는 그런 사람.

예 광복이 된 후 **문맹**을 물리치기 위한 한글 학교가 생겼다.

유의어 까막눈 글을 읽을 줄 모르는 무식한 사람의 눈.

국어 □ □

문화재

文 글월 문 | 化 될 화 | 財 재물 재

문화 활동에 의하여 창조된 가치가 뛰어난 사물.

예 경주에 가면 여러 가지 **문화재**를 볼 수 있다.

어휘 쏙 창조 전에 없던 것을 처음으로 만듦.

국어 □ □

물질

物 물건 물 | 質 바탕 질

물체를 이루는 본바탕.

예 마스크는 공기 중의 오염된 **물질**이 코로 들어오는 것을 막아 준다.

사회 □ □

민원

民 백성 민 | 願 원할 원

주민이 행정 기관에 대하여 원하는 바를 요구하는 일.

예 공사장의 소음이 너무 시끄럽다는 **민원**이 발생했다.

어휘 쏙 행정 기관 국가 또는 지방 자치 단체의 정치나 사무를 맡아보는 기관.

사회 □ □

방식

方 모 방 | 式 법 식

일정한 방법이나 형식.

예 잘못된 **방식**으로 문제를 풀었더니 답이 틀렸다.

어휘 쏙 형식 일을 할 때의 일정한 절차나 양식.

확인 학습

▶ 정답 29쪽

1-3 **다음 낱말과 그 뜻풀이를 바르게 선으로 이으세요.**

1 무진장 •

2 문맹 •

3 방식 •

• ㉠ 일정한 방법이나 형식.

• ㉡ 다함이 없이 굉장히 많음.

• ㉢ 배우지 못하여 글을 읽거나 쓸 줄을 모름. 또는 그런 사람.

4-5 **다음 낱말의 뜻풀이에 알맞은 말을 골라 ○표를 하세요.**

4 문화재 문화 활동에 의하여 창조된 (가격, 가치)이/가 뛰어난 사물.

5 민원 주민이 행정 기관에 대하여 원하는 바를 (요구, 요약)하는 일.

6-8 **빈칸에 들어갈 알맞은 낱말을 보기 에서 찾아 쓰세요.**

보기 무인도 문맹 물질 방식

6 나라마다 명절을 보내는 (   )이/가 다르다.

7 사과 속에는 늙는 것을 늦추는 (   )이/가 들어 있다.

8 이 영화는 (   )에 혼자 남은 주인공이 살아가는 이야기이다.

9 **보기 의 밑줄 친 낱말과 바꾸어 쓸 수 있는 낱말은 무엇인가요?**

보기 산에는 예쁜 꽃들이 무진장으로 피어 있다.

① 무궁무진 ② 무소식 ③ 무조건 ④ 무책임

걸린 시간 분 맞은 개수 개

교과 어휘 - 고유어

국어 □ □

뒷간

'변소'(便所)를 완곡하게 이르는 말.

예 잠깐 **뒷간**에 좀 다녀올게.

어휘 쏙 **완곡하다** 말하는 투가, 듣는 사람의 감정이 상하지 않도록 모나지 않고 부드럽다.

사회 □ □

뒷받침하다

뒤에서 지지하고 도와주다.

예 네 생각을 **뒷받침해** 주는 증거를 말해 봐라.

유의어 **뒷바라지하다** 뒤에서 보살피며 도와주다.

국어 □ □

들고일어나다

① 세차게 일어나다.

예 바람이 불자 흙먼지가 **들고일어났다**.

② 어떤 일에 반대하거나 항의하여 나서다.

예 한 국회의원이 옳지 않은 말을 하여 국민들이 **들고일어났다**.

어휘 쏙 **항의** 못마땅한 생각이나 반대의 뜻을 주장함.

국어 □ □

딴전

어떤 일을 하는 데 그 일과는 전혀 관계없는 일이나 행동.

예 그는 묻는 말에는 대답하지 않고 **딴전**을 피웠다.

유의어 **딴청** 어떤 일을 하는 데 그 일과는 전혀 관계없는 일이나 행동.

국어 □ □

떠벌리다

이야기를 과장하여 늘어놓다.

예 그는 자신이 이 동네에서 제일가는 부자라고 **떠벌렸다**.

국어 □ □

뚜렷하다

엉클어지거나 흐리지 않고 아주 분명하다.

예 내 동생은 좋고 싫은 것이 **뚜렷한** 성격이다.

국어 □ □

마음먹다

무엇을 하겠다는 생각을 하다.

예 나는 매일 아침마다 운동을 하기로 **마음먹었다**.

유의어 **결심하다** 할 일에 대하여 어떻게 하기로 마음을 굳게 정하다.

확인 학습

1-3 **다음 뜻풀이에 알맞은 낱말을 보기에서 찾아 쓰세요.**

보기: 뒷받침하다 들고일어나다 뚜렷하다 마음먹다

1 뒤에서 지지하고 도와주다. ( )

2 어떤 일에 반대하거나 항의하여 나서다. ( )

3 엉클어지거나 흐리지 않고 아주 분명하다. ( )

4-5 **다음 낱말의 뜻풀이에 알맞은 말을 골라 ○표를 하세요.**

4 뒷간 '변소'(便所)를 (완곡, 완전)하게 이르는 말.

5 딴전 어떤 일을 하는 데 그 일과는 전혀 (관객, 관계)없는 일이나 행동.

6-8 **다음 낱말이 들어갈 문장을 찾아 바르게 선으로 이으세요.**

6 딴전 • • ㉠ 모든 일은 ( )에 따라 달라진다.

7 떠벌리기 • • ㉡ 그는 동네에서 들은 소문을 ( ) 좋아하는 성격이다.

8 마음먹기 • • ㉢ 수업 시간에 ( )을/를 부렸더니 숙제가 무엇인지 모르겠다.

9 **보기의 밑줄 친 낱말과 바꾸어 쓸 수 있는 낱말은 무엇인가요?**

보기: 그는 보이지 않는 곳에서 나를 <u>뒷받침해</u> 준 고마운 사람이다.

① 뒷걸음질해 ② 뒷바라지해 ③ 뒷발길질해 ④ 뒷손질해

걸린 시간 분 맞은 개수 개

심화 어휘 - 헷갈리기 쉬운 낱말

다치다

부딪치거나 맞거나 하여 몸에 상처가 생기다. 또는 상처를 입다.

예 길을 가다 자전거와 부딪혀서 **다쳤다.**

닫히다

열린 문짝, 뚜껑, 서랍 등이 도로 제자리로 가 막히다.

예 바람이 불어 문이 저절로 **닫혔다.**

대다

무엇을 어디에 닿게 하다.

예 나는 새로 피어난 꽃잎에 손을 **대** 보았다.

데다

불이나 뜨거운 기운으로 말미암아 살이 상하다. 또는 그렇게 하다.

예 끓는 물이 쏟아져서 발등을 **뎄다.**

드러내다

① 가려 있거나 보이지 않던 것을 보이게 하다.

예 수연이는 이를 **드러내고** 웃었다.

② 알려지지 않은 사실을 널리 밝히다.

예 악당은 드디어 본색을 **드러냈다.**

들어내다

① 물건을 들어서 밖으로 옮기다.

예 거실에서 소파를 **들어냈다.**

② 사람을 있는 자리에서 쫓아내다.

예 저 고약한 놈을 당장 **들어내라.**

확인 학습

1-3 **다음 낱말과 그 뜻풀이를 바르게 선으로 이으세요.**

1 닫히다 • • ㉠ 무엇을 어디에 닿게 하다.

2 대다 • • ㉡ 사람을 있는 자리에서 쫓아내다.

3 들어내다 • • ㉢ 열린 문짝, 뚜껑, 서랍 등이 도로 제자리로 가 막히다.

4-6 **빈칸에 들어갈 알맞은 낱말을 보기 에서 찾아 쓰세요.**

보기: 닫혀 대 데 드러내 들어내

4 헐레벌떡 뛰어갔지만 학교 정문은 ( ) 있었다.

5 진형이는 자기 속마음을 잘 ( ) 보이지 않는다.

6 소리가 잘 안 들려서 휴대 전화에 귀를 바짝 ( ) 보았다.

7-8 **다음 문장에 알맞은 낱말을 골라 ○표를 하세요.**

7 돌부리에 걸려 넘어져 무릎을 (다쳤다, 닫혔다).

8 불로 실험을 할 때는 손을 (댈, 델) 수 있으니 조심해야 한다.

9-10 **다음 글에서 잘못된 부분을 찾아 바르게 고쳐 쓰세요.**

오늘은 새 집으로 이사를 가는 날이다. 이삿짐을 옮기기 전에 우리 가족은 손을 다치지 않도록 목장갑을 꼈다. 형과 나는 책장을 드러내기로 했다. 둘이 힘을 합쳐 책장을 옮겼더니 책장 아래 쌓여 있던 먼지들이 들어났다.

9 ( ) → ( )

10 ( ) → ( )

걸린 시간 분 맞은 개수 개

08회

공부한 날 ( ) 월 ( ) 일

교과 어휘 - 한자어

사회 □ □

배경
背 등 배 | 景 볕 경

① 뒤쪽의 경치.
예 바닷가를 **배경** 삼아 사진을 한 장 찍었다.
② 사건이나 환경, 인물 등을 둘러싼 주위의 정경.
예 모든 것을 다 내려놓고 시골에 간 **배경**이 무엇인가요?

어휘 쏙 정경 ① 정서를 자아내는 흥취와 경치. ② 사람이 처하여 있는 모습이나 형편.

사회 □ □

배려
配 나눌 배 | 慮 생각할 려

도와주거나 보살펴 주려고 마음을 씀.
예 먼저 지나갈 수 있도록 **배려**해 주셔서 감사합니다.

국어 □ □

번창
繁 번성할 번 | 昌 창성할 창

일이나 집안, 나라 등이 한참 잘되어 성하게 됨.
예 가게가 **번창**하라는 뜻으로 꽃다발을 선물했다.

어휘 쏙 성하다 기운이나 세력이 일어나는 모습이 세차고 크다.

국어 □ □

변형
變 변할 변 | 形 모양 형

모양이나 형태가 달라지거나 달라지게 함. 또는 그 달라진 형태.
예 구부정하게 앉는 버릇은 허리뼈의 **변형**을 불러올 수 있다.

유의어 변모 모양이나 모습이 달라지거나 바뀜. 또는 그 모양이나 모습.

과학 □ □

보존
保 지킬 보 | 存 있을 존

잘 보호하고 간수하여 남김.
예 문화재를 **보존**하는 일에 힘써야 한다.

유의어 보전 온전하게 보호하여 유지함.

국어 □ □

부담
負 질 부 | 擔 멜 담

어떠한 의무나 책임을 짐.
예 이 일을 무사히 끝마쳐야 한다는 **부담**이 컸다.

국어 □ □

부분
部 떼 부 | 分 나눌 분

전체를 이루는 작은 범위. 또는 전체를 몇 개로 나눈 것의 하나.
예 그 이야기는 크게 세 부분으로 나눌 수 있다.

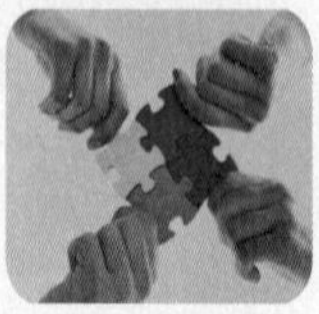

유의어 일부 한 부분. 또는 전체를 여럿으로 나눈 얼마.

확인 학습

▶ 정답 29쪽

1-3 **다음 낱말과 그 뜻풀이를 바르게 선으로 이으세요.**

1 배경 •　　• ㉠ 어떠한 의무나 책임을 짐.

2 변형 •　　• ㉡ 사건이나 환경, 인물 등을 둘러싼 주위의 정경.

3 부담 •　　• ㉢ 모양이나 형태가 달라지거나 달라지게 함. 또는 그 달라진 형태.

4-5 **다음 낱말의 뜻풀이에 알맞은 말을 골라 ○표를 하세요.**

4 보존 잘 (보고, 보호)하고 간수하여 남김.

5 번창 일이나 집안, 나라 등이 한참 잘되어 (상하게, 성하게) 됨.

6-8 **빈칸에 들어갈 알맞은 낱말을 보기에서 찾아 쓰세요.**

보기 배경　배려　부담　부분

6 노을 진 하늘을 (　　　)(으)로 새가 날아오른다.

7 감자에서 싹이 난 (　　　)을/를 숟가락으로 파냈다.

8 휠체어를 타고 다니는 아이들을 (　　　)하여 교실 문턱을 없앴다.

9-10 **다음 밑줄 친 낱말과 바꾸어 쓸 수 있는 낱말을 보기에서 찾아 쓰세요.**

보기 변모　보전　일부

9 동식물이 잘 살 수 있도록 자연환경을 보존해야 한다. (　　　)

10 충치 치료를 하면서 이의 썩은 부분만 갈고 금니를 씌웠다. (　　　)

걸린 시간 　　분　　맞은 개수 　　개

교과 어휘 - 고유어

국어 □□

말귀

① 말이 뜻하는 내용.

예 몇 번을 설명해도 말귀를 못 알아들어 답답했다.

② 남이 하는 말의 뜻을 알아듣는 총기.

예 내 동생은 어리지만 말귀가 밝다.

어휘 쏙 총기 ① 총명한 기운. ② 좋은 기억력.

국어 □□

말끔하다

티 없이 맑고 환하게 깨끗하다.

예 바닥에 묻어 있던 얼룩을 말끔하게 닦았다.

유의어 말쑥하다 ① 지저분함이 없이 말끔하고 깨끗하다. ② 세련되고 아담하다.

국어 □□

맞대다

서로 가깝게 마주 대하다.

예 두 자매는 서로 이마를 맞대고 잠이 들었다.

사회 □□

맞벌이

부부가 모두 직업을 가지고 돈을 벎. 또는 그런 일.

예 그 집은 맞벌이 부부를 대신해서 할머니가 아이를 돌보아 주신다.

국어 □□

맨눈

안경이나 망원경, 현미경 등을 이용하지 아니하고 직접 보는 눈.

예 샛별은 밤중에 맨눈으로도 볼 수 있다.

유의어 육안 안경이나 망원경, 현미경 등을 이용하지 아니하고 직접 보는 눈.

국어 □□

메스껍다

① 먹은 것이 되넘어 올 것같이 속이 몹시 울렁거리는 느낌이 있다.

예 차멀미가 나서 속이 메스꺼웠다.

② 태도나 행동 등이 비위에 거슬리게 몹시 아니꼽다.

예 선생님 앞에서만 친절하게 구는 그 녀석이 메스껍다.

어휘 쏙 아니꼽다 ① 비위가 뒤집혀 구역날 듯하다. ② 하는 말이나 행동이 눈에 거슬려 불쾌하다.

국어 □□

모질다

마음씨가 몹시 매섭고 독하다.

예 놀부는 양식을 나누어 달라는 흥부의 부탁을 모질게 거절했다.

유의어 잔인하다 인정이 없고 아주 모질다.

확인 학습

1-3 **다음 뜻풀이에 알맞은 낱말을 보기에서 찾아 쓰세요.**

보기: 말끔하다 맞대다 메스껍다 모질다

1 서로 가깝게 마주 대하다. (　　　)

2 마음씨가 몹시 매섭고 독하다. (　　　)

3 태도나 행동 등이 비위에 거슬리게 몹시 아니꼽다. (　　　)

4-5 **다음 낱말의 뜻풀이에 알맞은 말을 골라 ○표를 하세요.**

4 말귀 — 남이 하는 말의 뜻을 (알리는, 알아듣는) 총기.

5 맞벌이 — 부부가 모두 (직업, 직원)을 가지고 돈을 벎. 또는 그런 일.

6-8 **다음 낱말이 들어갈 문장을 찾아 바르게 선으로 이으세요.**

6 말귀 •　　　• ㉠ 세아는 (　　　) 옷차림으로 나타났다.

7 말끔한 •　　　• ㉡ 어지럽고 (　　　) 기분이 들어서 병원에 갔다.

8 메스꺼운 •　　　• ㉢ (　　　) 못 알아듣는 사람이 전화를 받아서 답답하다.

9 **보기의 밑줄 친 낱말과 바꾸어 쓸 수 있는 낱말은 무엇인가요?**

보기: 세균은 크기가 너무 작아서 <u>맨눈</u>으로는 볼 수 없다.

① 육상　② 육식　③ 육안　④ 육체

걸린 시간 　　분　맞은 개수 　　개

공부한 날 ( )월 ( )일

심화 어휘 - 주제별 한자 성어

★ 비슷한 처지의 사람과 어울림

동병상련
同 한가지 동 | 病 병 병 | 相 서로 상 | 憐 불쌍히 여길 련

어려운 처지에 있는 사람끼리 서로 가엾게 여김을 이르는 말.
예 나는 같은 병실에 입원한 내 또래 아이에게 **동병상련**을 느꼈다.

유유상종
類 무리 유 | 類 무리 유 | 相 서로 상 | 從 좇을 종

같은 무리끼리 서로 사귐.
예 **유유상종**이라더니 내 동생 친구들은 모두 내 동생과 비슷하다.

초록동색
草 풀 초 | 綠 푸를 록 | 同 한가지 동 | 色 빛 색

풀빛과 녹색은 같은 빛깔이란 뜻으로, 같은 처지의 사람과 어울리거나 기우는 것을 이르는 말.
예 **초록동색**이라더니 나와 내 친구는 좋아하는 음식도 똑같다.

★ 크게 놀람

대경실색
大 클 대 | 驚 놀랄 경 | 失 잃을 실 | 色 빛 색

몹시 놀라 얼굴빛이 하얗게 질림.
예 수찬이는 친구에게 빌린 게임기가 없어진 것을 알고 **대경실색**했다.

망연자실
茫 아득할 망 | 然 그럴 연 | 自 스스로 자 | 失 잃을 실

멍하니 정신을 잃음.
예 선미는 지갑을 옷과 함께 빨아 버린 것을 알고 **망연자실**했다.

혼비백산
魂 넋 혼 | 飛 날 비 | 魄 넋 백 | 散 흩을 산

혼백이 어지러이 흩어진다는 뜻으로, 몹시 놀라 넋을 잃음을 이르는 말.
예 개가 나에게 뛰어오는 것을 보고 **혼비백산** 달아났다.

확인학습

1-3 **다음 한자 성어와 그 뜻풀이를 바르게 선으로 이으세요.**

1 대경실색 •　　　　• ㉠ 같은 무리끼리 서로 사귐.

2 유유상종 •　　　　• ㉡ 몹시 놀라 얼굴빛이 하얗게 질림.

3 혼비백산 •　　　　• ㉢ 혼백이 어지러이 흩어진다는 뜻으로, 몹시 놀라 넋을 잃음을 이르는 말.

4-5 **다음 한자 성어의 뜻풀이에 알맞은 말을 골라 ○표를 하세요.**

4 동병상련　어려운 처지에 있는 사람끼리 서로 (가깝게, 가엾게) 여김을 이르는 말.

5 초록동색　풀빛과 (녹색, 파란색)은 같은 빛깔이란 뜻으로, 같은 처지의 사람과 어울리거나 기우는 것을 이르는 말.

6-8 **빈칸에 들어갈 알맞은 한자 성어를 보기 에서 찾아 쓰세요.**

보기　대경실색　동병상련　망연자실　초록동색

6 나는 기차가 이미 떠난 것을 보고 (　　　　)하여 한참 서 있었다.

7 성빈이는 교실에 쥐가 들어온 것을 보고 (　　　　)하여 소리를 질렀다.

8 (　　　　)이라더니 같은 아파트에 사는 민아와 소영이는 서로 단짝이다.

9 **다음 밑줄 친 상황을 표현하기에 알맞은 한자 성어는 무엇인가요?**

우리 반에 한 아이가 전학을 왔다. 그 아이는 새 학교가 낯설었는지 친구들과 잘 어울리지 못했다. 그 아이를 보자 내가 이 학교에 전학 왔을 때 쓸쓸하게 학교생활을 했던 것이 기억났다. 왠지 예전의 나를 보는 것 같아 가엾어서 그 아이에게 잘 대해 주기로 했다.

① 대경실색　② 동병상련　③ 망연자실　④ 유유상종　⑤ 혼비백산

걸린 시간 　　분　　맞은 개수 　　개

09회

공부한 날 월 일

교과 어휘 - 한자어

사회

부채

負 질 부 | 債 빚 채

남에게 빚을 짐. 또는 그 빚.

예 올해 쌀농사에 흉년이 들면서 여러 농민들이 **부채**를 졌다.

과학

분리

分 나눌 분 | 離 떠날 리

서로 나뉘어 떨어짐. 또는 그렇게 되게 함.

예 물과 기름을 한데 부으면 두 층으로 **분리**된다.

유의어 격리 ① 다른 것과 통하지 못하게 사이를 막거나 떼어 놓음. ② 전염병 환자나 면역성이 없는 환자를 다른 곳으로 떼어 놓음.

국어

분야

分 나눌 분 | 野 들 야

여러 갈래로 나누어진 범위나 부분.

예 그는 수학 **분야**에서 가장 뛰어난 사람이다.

유의어 부문 일정한 기준에 따라 분류하거나 나누어 놓은 낱낱의 범위나 부분.

국어

불균형

不 아닐 불 | 均 고를 균 | 衡 저울대 형

어느 편으로 치우쳐 고르지 아니함.

예 어깨 높이가 **불균형**하면 몸 전체가 틀어질 수 있다.

유의어 편중 한쪽으로 치우침.

국어

붕괴

崩 무너질 붕 | 壞 무너질 괴

무너지고 깨어짐.

예 장마철에 계속 내린 비로 담벼락이 **붕괴**되었다.

사회

사고력

思 생각 사 | 考 생각할 고 | 力 힘 력

생각하고 궁리하는 힘.

예 책을 읽으면 **사고력**을 기를 수 있다.

사회

사료

史 사기 사 | 料 헤아릴 료

역사 연구에 필요한 문헌이나 유물.

예 이 **사료**에는 옛날 사람들이 무엇을 입었는지 나타나 있다.

어휘 쏙 문헌 옛날의 제도나 문물을 아는 데 증거가 되는 자료나 기록.

▶정답 30쪽

확인 학습

1-3 **다음 낱말과 그 뜻풀이를 바르게 선으로 이으세요.**

1 분리 •　　• ㉠ 역사 연구에 필요한 문헌이나 유물.

2 불균형 •　　• ㉡ 어느 편으로 치우쳐 고르지 아니함.

3 사료 •　　• ㉢ 서로 나뉘어 떨어짐. 또는 그렇게 되게 함.

4-5 **다음 낱말의 뜻풀이에 알맞은 말을 골라 ○표를 하세요.**

4 사고력　생각하고 (궁리, 정리)하는 힘.

5 분야　여러 (가래, 갈래)로 나누어진 범위나 부분.

6-8 **빈칸에 들어갈 알맞은 낱말을 보기 에서 찾아 쓰세요.**

보기　부채　분야　붕괴　사고력

6 정부는 어려운 이웃들의 (　　　)을/를 줄여 주기로 했다.

7 지진이 나도 (　　　)되지 않는 안전한 건물을 짓겠습니다.

8 의사마다 자신이 공부한 (　　　)에 따라 치료하는 영역이 다르다.

9-10 **다음 밑줄 친 낱말과 바꾸어 쓸 수 있는 낱말을 보기 에서 찾아 쓰세요.**

보기　격리　부문　편중

9 날개나 부리를 다친 새들을 건강한 새들과 <u>분리</u>해 놓았다. (　　　)

10 함께 열심히 경기에 참여했는데 상금을 <u>불균형</u>하게 나누는 것은 옳지 못하다. (　　　)

걸린 시간 　　분　　맞은 개수 　　개

교과 어휘 - 다의어

나누다

① 하나를 둘 이상으로 가르다.

예 사과 한 개를 두 조각으로 **나누었다.**

② 말이나 이야기, 인사 등을 주고받다.

예 나는 오랜만에 만난 고향 친구와 이야기를 **나누었다.**

③ 즐거움이나 고통, 고생 등을 함께하다.

예 고통은 **나누면** 작아지고, 즐거움은 **나누면** 커진다.

만나다

① 선이나 길, 강 등이 서로 마주 닿다.

예 이 길을 쭉 걸어 나가면 큰길과 **만난다.**

② 누군가 가거나 와서 둘이 서로 마주 보다.

예 친구와 버스에서 우연히 **만났다.**

③ 어떤 일을 당하다.

예 그때 나는 힘든 일을 **만나** 괴로워하고 있었다.

교과 어휘 - 동음이의어

따르다[1]

다른 사람이나 동물의 뒤에서, 그가 가는 대로 같이 가다.

예 나는 어머니를 **따라** 옷가게에 갔다.

따르다[2]

그릇을 기울여 안에 들어 있는 액체를 밖으로 조금씩 흐르게 하다.

예 나는 우유를 컵에 **따라** 마셨다.

묻다[1]

가루, 풀, 물 등이 그보다 큰 다른 물체에 들러붙거나 흔적이 남게 되다.

예 그림을 그리다 옷에 물감이 **묻었다.**

묻다[2]

물건을 흙이나 다른 물건 속에 넣어 보이지 않게 쌓아 덮다.

예 나무 밑에 죽은 새를 **묻어** 주었다.

확인 학습

▶ 정답 30쪽

1-2 **밑줄 친 낱말의 뜻으로 알맞은 것의 기호를 쓰세요.**

1 양평의 두물머리는 북한강과 남한강이 <u>만나는</u> 곳이다. (　　　)

㉠ 선이나 길, 강 등이 서로 마주 닿다.
㉡ 누군가 가거나 와서 둘이 서로 마주 보다.

2 나는 흙먼지가 <u>묻은</u> 겉옷을 탈탈 털었다. (　　　)

㉠ 물건을 흙이나 다른 물건 속에 넣어 보이지 않게 쌓아 덮다.
㉡ 가루, 풀, 물 등이 그보다 큰 다른 물체에 들러붙거나 흔적이 남게 되다.

3-5 **다음 밑줄 친 낱말의 뜻풀이를 찾아 바르게 선으로 이으세요.**

3 빵 하나를 동생과 <u>나누어</u> 먹었다. •	• ㉠ 하나를 둘 이상으로 가르다.
4 이 기쁨을 여러분과 <u>나누고</u> 싶습니다. •	• ㉡ 말이나 이야기, 인사 등을 주고받다.
5 그 사람과는 이야기를 몇 마디 <u>나누었을</u> 뿐 친하지 않다. •	• ㉢ 즐거움이나 고통, 고생 등을 함께하다.

6-7 **빈칸에 들어갈 알맞은 낱말을 보기에서 찾아 쓰세요.**

> **보기** 나누어　　따라　　만나　　묻어

6 다람쥐는 예전에 땅에 (　　　) 두었던 도토리를 찾지 못했다.

7 보물을 가득 실은 배는 태풍을 (　　　) 바닷속으로 가라앉았다.

8-9 **다음 뜻풀이에 알맞은 낱말을 보기에서 찾아 기호를 쓰세요.**

> **보기** 나: 숙제 때문에 만나는 건데 동생이 멋대로 ㉠<u>따라서</u> 왔어. 미안해.
> 정현: 괜찮아, 동생이랑 같이 들어와. 시원한 음료수 한 잔 ㉡<u>따라</u> 줄게.

8 다른 사람이나 동물의 뒤에서, 그가 가는 대로 같이 가다. (　　　)

9 그릇을 기울여 안에 들어 있는 액체를 밖으로 조금씩 흐르게 하다. (　　　)

걸린 시간 (　　) 분　　맞은 개수 (　　) 개

공부한 날 ( )월 ( )일

심화 어휘 - 주제별 속담

★ 잘못된 대책

소 잃고 외양간 고친다

일이 이미 잘못된 뒤에는 손을 써도 소용이 없음을 비꼬는 말.

예 **소 잃고 외양간 고친다**더니 이가 아픈 다음에야 이를 잘 닦으면 무슨 소용이니?

언 발에 오줌 누기

임시변통은 될지 모르나 그 효력이 오래가지 못할 뿐만 아니라 결국에는 사태가 더 나빠짐을 이르는 말.

예 금방 들통날 텐데 선생님께 거짓말을 했으니 **언 발에 오줌 누기**이다.

어휘 쏙 임시변통 갑자기 터진 일을 우선 간단하게 둘러맞추어 처리함.

호미로 막을 것을 가래로 막는다

커지기 전에 처리하였으면 쉽게 해결되었을 일을 내버려 두었다가 나중에 큰 힘을 들이게 된 경우를 이르는 말.

예 **호미로 막을 것을 가래로 막는다**더니 숙제를 매일 조금씩 해 두었으면 이렇게 힘들지 않았을 거야.

심화 어휘 - 주제별 관용어

★ 귀와 관련된 관용어

귀가 가렵다

남이 제 말을 한다고 느끼다.

예 우리가 이렇게 떠들고 있으니 주아는 지금쯤 **귀가 가려울걸**.

귀를 기울이다

남의 이야기나 의견에 관심을 가지고 주의를 모으다.

예 우리는 발표자에게 **귀를 기울였다**.

귀에 못이 박히다

같은 말을 여러 번 듣다.

예 쓴 물건을 제자리에 갖다 놓으라는 말은 **귀에 못이 박히게** 들었다.

확인 학습

1-3 **다음 관용어와 그 뜻풀이를 바르게 선으로 이으세요.**

1 귀가 가렵다 • 　　　　• ㉠ 같은 말을 여러 번 듣다.

2 귀를 기울이다 • 　　　　• ㉡ 남이 제 말을 한다고 느끼다.

3 귀에 못이 박히다 • 　　　　• ㉢ 남의 이야기나 의견에 관심을 가지고 주의를 모으다.

4-5 **다음 뜻풀이에 알맞은 속담을 보기 에서 찾아 기호를 쓰세요.**

보기
㉠ 언 발에 오줌 누기
㉡ 소 잃고 외양간 고친다
㉢ 호미로 막을 것을 가래로 막는다

4 일이 이미 잘못된 뒤에는 손을 써도 소용이 없음을 비꼬는 말. (　　　)

5 임시변통은 될지 모르나 그 효력이 오래가지 못할 뿐만 아니라 결국에는 사태가 더 나빠짐을 이르는 말. (　　　)

6-7 **빈칸에 들어갈 알맞은 낱말을 보기 에서 찾아 쓰세요.**

보기 가래 　곳간 　외양간 　쟁기

6 건강을 다 잃은 다음에 운동하는 것은 소 잃고 (　　　) 고치기이다.

7 호미로 막을 것을 (　　　)(으)로 막는다더니 분리수거를 자주 하지 않아서 버려야 할 재활용 쓰레기가 산더미처럼 쌓였다.

8 **다음 상황에 알맞은 관용어를 골라 ○표를 하세요.**

수업 시간에 곱셈하는 방법을 귀에 못이 (박히게, 빠지게) 들었는데, 집에 오니 기억이 하나도 안 났다. 나는 오빠에게 책을 들고 가서 곱셈하는 방법을 알려 달라고 했다. 오빠가 설명을 시작하자 나는 오빠에게 귀를 (기울였다, 의심했다).

걸린 시간 　분 　맞은 개수 　개

10회

공부한 날 월 일

교과 어휘 - 한자어

국어

상당
相 서로 상 | 當 마땅 당

일정한 액수나 수치 등에 해당함.

예 1등을 한 학생에게는 100만 원 **상당**의 상품을 드립니다.

어휘 쏙 수치 계산하여 얻은 값.

사회

상대방
相 서로 상 | 對 대할 대 | 方 모 방

어떤 일이나 말을 할 때 짝을 이루는 사람.

예 **상대방**의 마음을 생각할 줄 알아야 한다.

반의어 자기 그 사람 자신.
유의어 맞은편 ① 서로 마주 바라보이는 편. ② 상대가 되는 사람.

국어

상용화
常 떳떳할 상 | 用 쓸 용 | 化 될 화

물품 등이 일상적으로 쓰이게 됨.

예 앞으로 운전자 없이 움직이는 차가 **상용화**될 것이다.

어휘 쏙 일상적 날마다 볼 수 있는. 또는 그런 것.

국어

생동감
生 날 생 | 動 움직일 동 | 感 느낄 감

생기 있게 살아 움직이는 듯한 느낌.

예 발레를 하는 무용수들에게서 **생동감**이 느껴졌다.

국어

생략
省 덜 생 | 略 간략할 략

전체에서 일부를 줄이거나 뺌.

예 시간이 없어서 자세한 내용은 **생략**하겠습니다.

어휘 쏙 일부 한 부분. 또는 전체를 여럿으로 나눈 얼마.

국어

생태
生 날 생 | 態 모습 태

생물이 살아가는 모양이나 상태.

예 이 박사는 고양이들의 **생태**를 관찰하고 있다.

과학

서식지
棲 깃들일 서 | 息 쉴 식 | 地 땅 지

생물 등이 일정한 곳에 자리를 잡고 사는 곳.

예 북극의 얼음이 녹으면 북극곰들의 **서식지**도 사라진다.

확인 학습

▶ 정답 30쪽

1-3 **다음 낱말과 그 뜻풀이를 바르게 선으로 이으세요.**

1 상대방 •　　　　• ㉠ 생기 있게 살아 움직이는 듯한 느낌.

2 생동감 •　　　　• ㉡ 어떤 일이나 말을 할 때 짝을 이루는 사람.

3 서식지 •　　　　• ㉢ 생물 등이 일정한 곳에 자리를 잡고 사는 곳.

4-5 **다음 낱말의 뜻풀이에 알맞은 말을 골라 ○표를 하세요.**

4 생략 전체에서 (모두, 일부)를 줄이거나 뺌.

5 생태 생물이 (살아가는, 지나가는) 모양이나 상태.

6-8 **빈칸에 들어갈 알맞은 낱말을 보기에서 찾아 쓰세요.**

보기	상당	상용화	생략	서식지

6 내용이 너무 많이 (　　　　)되어 글을 이해하기 힘들다.

7 이번에 발견한 유물은 5천만 원 (　　　　)의 값어치가 있다.

8 바닷물로 전기를 만드는 기술이 5년 안에 (　　　　)된다고 한다.

9 **보기의 밑줄 친 낱말과 뜻이 반대인 낱말은 무엇인가요?**

보기: 태권도 시합에서 상대방의 실수로 점수를 땄다.

① 자기　② 자리　③ 자손　④ 자연

걸린 시간 　　분　맞은 개수 　　개

교과 어휘 - 고유어

국어

몰아닥치다
한꺼번에 세게 들이닥치다.
예 문을 열자 집 안으로 눈보라가 **몰아닥쳤다**.

국어

몸부림치다
① 심하게 온몸을 흔들고 부딪다.
예 동생은 의사 선생님의 손에서 벗어나려고 **몸부림쳤다**.
② 어떤 일을 이루거나 고통 등을 견디기 위해서 고통스럽게 몹시 애쓰다.
예 가장 친한 친구가 떠난 후 나는 외로움에 **몸부림쳤다**.

유의어 버둥거리다 덩치가 큰 것이 매달리거나 자빠지거나 주저앉아서 팔다리를 내저으며 자꾸 움직이다.

국어

몽실몽실
구름이나 연기 등이 동글동글하게 뭉쳐서 가볍게 떠 있거나 떠오르는 듯한 모양.
예 흰 구름이 **몽실몽실** 떠 있다.

국어

묵직하다
① 다소 큰 물건이 보기보다 제법 무겁다.
예 성미가 준 생일 선물은 꽤 **묵직했다**.
② 사람이 점잖고 무게가 있다.
예 그는 **묵직하고** 말이 없는 사람이었다.

유의어 듬직하다 사람됨이 믿음성 있게 묵직하다.

국어

문득
생각이나 느낌 등이 갑자기 떠오르는 모양.
예 나는 **문득** 어디론가 떠나고 싶어졌다.

유의어 언뜻 ① 지나는 결에 잠깐 나타나는 모양. ② 생각이나 기억 등이 문득 떠오르는 모양.

사회

물레
도자기를 만들 때, 흙을 빚거나 무늬를 넣는 데 사용하는 기구.
예 도자기 박람회에서 **물레**로 도자기를 만드는 체험을 했다.

어휘 쏙 빚다 ① 흙 등의 재료를 이겨서 어떤 형태를 만들다. ② 어떤 결과나 현상을 만들다.

국어

뭉근하다
세지 않은 불기운이 끊이지 않고 꾸준하다.
예 죽을 만들 때는 **뭉근한** 불로 끓여야 바닥이 타지 않는다.

어휘 쏙 꾸준하다 한결같이 부지런하고 끈기가 있다.

확인 학습

1-3 **다음 뜻풀이에 알맞은 낱말을 보기에서 찾아 쓰세요.**

보기 몰아닥치다 몸부림치다 묵직하다 뭉근하다

1 한꺼번에 세게 들이닥치다. (　　　)

2 다소 큰 물건이 보기보다 제법 무겁다. (　　　)

3 세지 않은 불기운이 끊이지 않고 꾸준하다. (　　　)

4-5 **다음 밑줄 친 낱말과 바꾸어 쓸 수 있는 낱말을 찾아 바르게 선으로 이으세요.**

4 파리가 거미줄에서 벗어나려고 몸부림쳤다. • 　　　• ㉠ 듬직했다

5 그는 조심성 없는 성격인 줄 알았는데 보기보다 묵직했다. • 　　　• ㉡ 버둥거렸다

6-8 **다음 낱말이 들어갈 문장을 찾아 바르게 선으로 이으세요.**

6 몽실몽실 • 　　　• ㉠ (　　　) 네 생각이 나서 찾아왔어.

7 문득 • 　　　• ㉡ 굴뚝에서 흰 연기가 (　　　) 피어오른다.

8 물레 • 　　　• ㉢ 그는 (　　　) 위에 흙을 올리고 빚기 시작했다.

9 **보기의 밑줄 친 낱말의 뜻풀이로 알맞은 것의 기호를 쓰세요.**

보기 그 운동선수는 부상을 딛고 일어서려고 몸부림쳤다.

㉠ 심하게 온몸을 흔들고 부딪다.
㉡ 어떤 일을 이루거나 고통 등을 견디기 위해서 고통스럽게 몹시 애쓰다.

걸린 시간 　　분 　　맞은 개수 　　개

심화 어휘 - 헷갈리기 쉬운 낱말

맞다

① 오는 사람이나 물건을 예의로 받아들이다.

예 우리 식구들은 손님을 맞을 준비에 바빴다.

② 시간이 흐름에 따라 오는 어떤 때를 대하다.

예 새해를 맞아 나는 열두 살이 되었다.

맡다

① 어떤 일에 대한 책임을 지고 담당하다.

예 저는 여러분의 담임을 맡게 된 이진희 선생님입니다.

② 어떤 물건을 받아 보관하다.

예 화장실 다녀올 동안 가방 좀 맡아 줘.

어휘 쏙 보관 물건을 맡아서 간직하고 관리함.

메다

어깨에 걸치거나 올려놓다.

예 나무꾼은 지게를 메고 숲으로 들어갔다.

매다

끈이나 줄 등의 두 끝을 엇걸고 잡아당기어 풀어지지 아니하게 마디를 만들다.

예 운동화 끈이 풀어져서 다시 맸다.

무난하다
無 없을 무 | 難 어려울 난

① 별로 어려움이 없다.

예 무난하게 예선을 통과했다.

② 이렇다 할 단점이나 흠잡을 만한 것이 없다.

예 그 셔츠에는 이 바지가 무난하게 어울린다.

문안하다
問 물을 문 | 安 편안할 안

웃어른께 안부를 여쭈다.

예 할머니 할아버지께 전화로 문안했다.

확인 학습

1-3 **다음 낱말과 그 뜻풀이를 바르게 선으로 이으세요.**

1 맞다 •　　　• ㉠ 별로 어려움이 없다.

2 메다 •　　　• ㉡ 어깨에 걸치거나 올려놓다.

3 무난하다 •　　　• ㉢ 시간이 흐름에 따라 오는 어떤 때를 대하다.

4-6 **빈칸에 들어갈 알맞은 낱말을 보기 에서 찾아 쓰세요.**

보기
맞은　　맡은　　멘　　무난한　　문안한

4 미영이가 배낭을 (　　　) 채 서 있다.

5 이 아이가 학예회에서 사회를 (　　　) 민건이이다.

6 며칠째 춥지도 덥지도 않은 (　　　) 날씨가 이어지고 있다.

7-8 **다음 문장에 알맞은 낱말을 골라 ○표를 하세요.**

7 나는 오늘 빨간색 머리끈으로 머리를 (맸다, 멨다).

8 지하철 분실물 센터에서 내 지갑을 (맞고, 맡고) 있었다.

9-10 **다음 글에서 잘못된 부분을 찾아 바르게 고쳐 쓰세요.**

> 오늘은 외국으로 일을 나가셨던 아버지가 집에 돌아오는 날이다. 나와 동생은 문 앞까지 나가서 아버지를 맡았다. 아버지는 줄무늬 넥타이를 매고 계셨다. 나와 동생은 아버지께 무난한 뒤 집으로 함께 들어갔다. 오랜만에 온 식구가 함께 밥을 먹으니 즐거웠다.

9 (　　　) → (　　　)

10 (　　　) → (　　　)

걸린 시간 　　분　　맞은 개수 　　개

11회

공부한 날 ( )월 ( )일

교과 어휘 - 한자어

국어

설계
設 베풀 설 | 計 셀 계

계획을 세움. 또는 그 계획.

예 수업 시간에 어떤 삶을 살 것인지 설계를 해 보았다.

국어

성대
聲 소리 성 | 帶 띠 대

후두의 중앙부에 있는 소리를 내는 기관.

예 소리를 너무 심하게 지르면 성대가 상할 수 있다.

어휘 쏙 후두 소리를 내고 이물질이 기도로 들어가는 것을 막는 기관.

과학

성질
性 성품 성 | 質 바탕 질

① 사람이 지닌 마음의 본바탕.

예 그는 성질이 급하다.

② 사물이나 현상이 가지고 있는 고유의 특성.

예 설탕은 물에 잘 녹는 성질을 가지고 있다.

유의어 성미 성질, 마음씨, 비위, 버릇 등을 통틀어 이르는 말.

국어

소감
所 바 소 | 感 느낄 감

마음에 느낀 바.

예 한국에 오신 소감이 어떻습니까?

유의어 감상 마음속에서 일어나는 느낌이나 생각.

국어

손실
損 덜 손 | 失 잃을 실

잃어버리거나 축나서 손해를 봄. 또는 그 손해.

예 이번 일로 우리 회사는 큰 손실을 입었다.

어휘 쏙 축나다 일정한 수나 양에서 모자람이 생기다.

반의어 이익 물질적으로나 정신적으로 보탬이 되는 것.

국어

쇠약
衰 쇠할 쇠 | 弱 약할 약

힘이 쇠하고 약함.

예 나는 쇠약에서 벗어나기 위해 운동을 시작했다.

유의어 쇠잔 쇠하여 힘이나 세력이 점점 약해짐.

사회

수문
水 물 수 | 門 문 문

물의 흐름을 막거나 물이 흐르는 양을 조절하기 위하여 설치한 문.

예 수문이 열리자 물이 콸콸 쏟아져 내렸다.

확인 학습

1-3 **다음 낱말과 그 뜻풀이를 바르게 선으로 이으세요.**

1 성대 •　　• ㉠ 힘이 쇠하고 약함.

2 성질 •　　• ㉡ 사람이 지닌 마음의 본바탕.

3 쇠약 •　　• ㉢ 후두의 중앙부에 있는 소리를 내는 기관.

4-5 **다음 낱말의 뜻풀이에 알맞은 말을 골라 ○표를 하세요.**

4 손실 잃어버리거나 (모나서, 축나서) 손해를 봄. 또는 그 손해.

5 수문 물의 흐름을 (꺾거나, 막거나) 물이 흐르는 양을 조절하기 위하여 설치한 문.

6-8 **빈칸에 들어갈 알맞은 낱말을 보기에서 찾아 쓰세요.**

보기: 설계　성질　소감　손실

6 내 미래는 내가 (　　　)할 것이다.

7 최종 우승자가 되신 (　　　)을/를 말씀해 주세요.

8 사과는 산소와 만나면 갈색으로 변하는 (　　　)이/가 있다.

9-10 **다음 밑줄 친 낱말과 바꾸어 쓸 수 있는 낱말을 보기에서 찾아 쓰세요.**

보기: 감상　성미　쇠잔

9 그 영감은 고약한 성질로 소문이 자자했다. (　　　)

10 나라가 쇠약해진 틈을 타 적들이 쳐들어왔다. (　　　)

걸린 시간 　　분　　맞은 개수 　　개

교과 어휘 - 고유어

국어

바깥일

① 집 밖에서 하는 경제적 · 사회적 활동.

예 **바깥일**만 하느라 집안일에 신경을 쓰지 못했다.

② 집 밖에서 일어나는 일.

예 뉴스를 안 봤더니 **바깥일**이 어떻게 돌아가는지 모르겠다.

어휘 쏙 경제적 인간의 생활에 필요한 물건이나 수고를 만들고, 나누고, 써서 없애는 모든 활동에 관한.

국어

발자취

① 발로 밟고 지나갈 때 남는 흔적.

예 눈 위에 사람들의 **발자취**가 찍혔다.

② 과거에 지나온 길이나 과정을 이르는 말.

예 그는 우리나라 음악의 역사에 **발자취**를 남겼다.

유의어 족적 ① 발로 밟고 지나갈 때 남는 흔적. ② 과거에 지나온 길이나 과정을 이르는 말.

국어

번뜩이다

물체 등에 반사된 큰 빛이 잠깐씩 나타나다.

예 번개가 **번뜩이더니** 곧 천둥이 쳤다.

사회

부럼

음력 정월 대보름날 새벽에 깨물어 먹는 땅콩, 호두, 잣, 밤, 은행 등을 통틀어 이르는 말.

예 **부럼**을 깨물어 먹으면 한 해 동안 부스럼이 생기지 않는다고 한다.

국어

불어넣다

어떤 생각이나 느낌을 가질 수 있도록 영향이나 자극을 주다.

예 너의 칭찬이 나에게 자신감을 **불어넣어** 주었다.

어휘 쏙 영향 어떤 사물의 효과나 작용이 다른 것에 미치는 일.

국어

비아냥거리다

얄밉게 빈정거리며 자꾸 놀리다.

예 누나는 내게 그것도 모르냐며 **비아냥거렸다**.

어휘 쏙 빈정거리다 남을 은근히 비웃는 태도로 자꾸 놀리다.

유의어 조롱하다 비웃거나 깔보면서 놀리다.

국어

비탈

산이나 언덕 등이 기울어진 상태나 정도. 또는 그렇게 기울어진 곳.

예 소년은 약초를 캐기 위해 **비탈**을 거슬러 올라갔다.

확인 학습

▶ 정답 30쪽

1-3 **다음 뜻풀이에 알맞은 낱말을 보기에서 찾아 쓰세요.**

보기: 바깥일 발자취 부럼 비탈

1 발로 밟고 지나갈 때 남는 흔적. ( )

2 집 밖에서 하는 경제적 · 사회적 활동. ( )

3 산이나 언덕 등이 기울어진 상태나 정도. 또는 그렇게 기울어진 곳. ( )

4-5 **다음 낱말의 뜻풀이에 알맞은 말을 골라 ○표를 하세요.**

4 번뜩이다 물체 등에 반사된 큰 (별, 빛)이 잠깐씩 나타나다.

5 불어넣다 어떤 생각이나 느낌을 가질 수 있도록 (영양, 영향)이나 자극을 주다.

6-8 **다음 낱말이 들어갈 문장을 찾아 바르게 선으로 이으세요.**

6 바깥일 • • ㉠ 너는 ( )에는 신경 쓰지 말고 공부나 열심히 해라.

7 발자취 • • ㉡ 정월 대보름에 먹은 ( ) 중에서 땅콩이 제일 맛있었다.

8 부럼 • • ㉢ 조상들의 ( )을/를 따라가다 보면 답을 알 수 있을 것이다.

9 **보기의 밑줄 친 낱말과 바꾸어 쓸 수 있는 낱말은 무엇인가요?**

보기: 그는 내가 약속을 지키지 못할 것이라며 <u>비아냥거렸다</u>.

① 조력했다 ② 조롱했다 ③ 조립했다 ④ 조종했다

걸린 시간 분 맞은 개수 개

심화 어휘 - 주제별 한자 성어

★ 어리석은 행동

각주구검
刻 새길 각 | 舟 배 주 | 求 구할 구 | 劍 칼 검

융통성 없이 현실에 맞지 않는 낡은 생각을 고집하는 어리석음을 이르는 말.

예 공부를 잘하는 사람만 성공한다는 생각은 각주구검과 같은 것이다.

어휘 쏙 융통성 그때그때의 사정과 형편을 보아 일을 처리하는 재주.

수주대토
守 지킬 수 | 株 그루 주 | 待 기다릴 대 | 兎 토끼 토

한 가지 일에만 얽매여 발전을 모르는 어리석은 사람을 이르는 말.

예 수주대토로 있으면 하루가 다르게 변하는 세상에서 살아남을 수 없다.

★ 말하기 방식

감언이설
甘 달 감 | 言 말씀 언 | 利 이로울 이 | 說 말씀 설

귀가 솔깃하도록 남의 비위를 맞추거나 이로운 조건을 내세워 꾀는 말.

예 그는 나중에 돈을 배로 갚겠다는 감언이설에 속아 사기꾼에게 돈을 빌려줬다.

거두절미
去 갈 거 | 頭 머리 두 | 截 끊을 절 | 尾 꼬리 미

어떤 일의 요점만 간단히 말함.

예 거두절미하고 네가 하고 싶은 것이 무엇인지 말해 봐라.

어휘 쏙 요점 가장 중요하고 중심이 되는 사실이나 생각.

설왕설래
說 말씀 설 | 往 갈 왕 | 說 말씀 설 | 來 올 래

서로 옳고 그름을 따지며 옥신각신함. 또는 말이 오고 감.

예 학교 규칙을 바꾸어야 하는지를 두고 설왕설래가 이어졌다.

어불성설
語 말씀 어 | 不 아닐 불 | 成 이룰 성 | 說 말씀 설

말이 조금도 일의 이치에 맞지 아니함.

예 곱셈, 뺄셈도 모르면서 수학을 잘한다는 것은 어불성설이다.

확인 학습

1-3 **다음 한자 성어와 그 뜻풀이를 바르게 선으로 이으세요.**

1 설왕설래 •
2 수주대토 •
3 어불성설 •

• ㉠ 말이 조금도 일의 이치에 맞지 아니함.
• ㉡ 서로 옳고 그름을 따지며 옥신각신함. 또는 말이 오고 감.
• ㉢ 한 가지 일에만 얽매여 발전을 모르는 어리석은 사람을 이르는 말.

4-5 **다음 한자 성어의 뜻풀이에 알맞은 말을 골라 ○표를 하세요.**

4 감언이설 귀가 솔깃하도록 남의 비위를 맞추거나 (이로운, 이상한) 조건을 내세워 꾀는 말.

5 각주구검 융통성 없이 현실에 맞지 않는 (낡은, 좁은) 생각을 고집하는 어리석음을 이르는 말.

6-8 **빈칸에 들어갈 알맞은 한자 성어를 보기 에서 찾아 쓰세요.**

보기			
각주구검	감언이설	거두절미	설왕설래

6 문제가 생기자 누가 잘못했느냐를 두고 (   )이/가 벌어졌다.

7 다른 것은 다 (   )하고 앞으로 달라지는 점만 말씀드리겠습니다.

8 사람들이 온갖 (   )(으)로 나를 꾀었지만 비법을 알려 주지 않았다.

9 **다음 밑줄 친 상황을 표현하기에 알맞은 한자 성어는 무엇인가요?**

> 민수는 수영 선수가 꿈이다. 그래서 우리 학교를 대표하여 수영 대회를 나가겠다고 하였다. <u>그 말을 듣고 선생님께서 대회 참가 신청서를 접수하셨는데, 갑자기 민수가 자기는 지금까지 물이 무서워서 수영을 한 번도 해 본 적이 없다고 말했다.</u>

① 각주구검 ② 감언이설 ③ 거두절미
④ 설왕설래 ⑤ 어불성설

걸린 시간 (   ) 분 맞은 개수 (   ) 개

12회

공부한 날 월 일

교과 어휘 - 한자어

국어

수비
守 지킬 수 | 備 갖출 비

외부의 침략이나 공격을 막아 지킴.

예 강력한 **수비**로 적을 돌려보냈다.

어휘 쏙 침략 올바르고 마땅한 까닭 없이 남의 나라에 쳐들어감.

유의어 방어 상대편의 공격을 막음.

국어

수심
水 물 수 | 深 깊을 심

강이나 바다, 호수 등의 물의 깊이.

예 두루미는 **수심**이 얕은 곳에서 사냥하기를 좋아한다.

과학

수평
水 물 수 | 平 평평할 평

기울지 않고 평평한 상태.

예 비행기가 **수평**을 이루며 날아간다.

유의어 평형 사물이 한쪽으로 기울지 않고 안정해 있음.

사회

숙박
宿 잘 숙 | 泊 머무를 박

여관이나 호텔 등에서 잠을 자고 머무름.

예 우리는 바다가 보이는 호텔에서 **숙박**했다.

어휘 쏙 여관 일정한 돈을 받고 손님을 묵게 하는 집.

국어

습기
濕 젖을 습 | 氣 기운 기

물기가 많아 젖은 듯한 기운.

예 장마철이 되자 방 안에 **습기**가 찼다.

유의어 누기 눅눅하고 축축한 기운.

사회

시기
時 때 시 | 機 틀 기

적당한 때나 기회.

예 지금은 일을 시작할 **시기**가 아니다.

사회

시설
施 베풀 시 | 設 베풀 설

도구, 기계, 장치 등을 베풀어 설비함. 또는 그런 설비.

예 이곳은 교육 **시설**이 잘 갖추어져 있다.

어휘 쏙 설비 필요한 것을 베풀어서 갖춤. 또는 그런 시설.

확인 학습

▶ 정답 30쪽

1-3 **다음 낱말과 그 뜻풀이를 바르게 선으로 이으세요.**

1 수비 •　　　　• ㉠ 적당한 때나 기회.

2 숙박 •　　　　• ㉡ 외부의 침략이나 공격을 막아 지킴.

3 시기 •　　　　• ㉢ 여관이나 호텔 등에서 잠을 자고 머무름.

4-5 **다음 낱말의 뜻풀이에 알맞은 말을 골라 ○표를 하세요.**

4 습기　물기가 많아 (저은, 젖은) 듯한 기운.

5 수심　강이나 바다, 호수 등의 물의 (굳기, 깊이).

6-8 **빈칸에 들어갈 알맞은 낱말을 보기에서 찾아 쓰세요.**

보기　수비　수평　시기　시설

6 날이 따뜻해서 소풍 가기 좋은 (　　　　)이다.

7 액자가 벽에 (　　　　)(으)로 걸려 있는지 확인해 줘.

8 새로 지어진 아파트는 여러 가지 편의 (　　　　)을/를 갖추고 있다.

9-10 **다음 밑줄 친 낱말과 바꾸어 쓸 수 있는 낱말을 보기에서 찾아 쓰세요.**

보기　누기　방어　평형

9 집안의 <u>습기</u>를 없애기 위해 방에 불을 땠다. (　　　　)

10 지윤이가 시소에서 내리면서 시소의 <u>수평</u>이 깨졌다. (　　　　)

걸린 시간 　　 분　　맞은 개수 　　 개

12회

공부한 날 ( )월 ( )일

교과 어휘 - 다의어

맵다

① 고추나 겨자와 같이 맛이 알알하다.

예 떡볶이가 매워서 물을 두 컵이나 마셨다.

② 성미가 사납고 독하다.

예 동생을 놀리다 어머니께 매운 꿀밤을 맞았다.

③ 연기 등이 눈이나 코를 아리게 하다.

예 장작불 연기 때문에 눈이 맵다.

멀다

① 거리가 많이 떨어져 있다.

예 우리 집에서 학교까지는 꽤 멀다.

② 서로의 사이가 다정하지 않고 서먹서먹하다.

예 사촌 누나를 오랜만에 봤더니 조금 멀게 느껴진다.

③ 시간적으로 사이가 길거나 오래다.

예 겨울 방학이 되려면 아직 멀었다.

교과 어휘 - 동음이의어

반하다[1]
反 돌이킬 반

반대가 되다.

예 나는 국어는 좋아하는 데 반해 수학은 싫어한다.

반하다[2]

어떤 사람이나 사물 등에 마음이 홀린 것같이 쏠리다.

예 나는 그 영화에 반해서 세 번이나 다시 봤다.

부리다[1]

마소나 다른 사람을 시켜 일을 하게 하다.

예 마음씨 나쁜 팥쥐는 콩쥐를 노예처럼 부렸다.

어휘 쏙 마소 말과 소를 아울러 이르는 말.

부리다[2]

① 재주나 꾀 등을 피우다.

예 여우는 요술을 부려 사람으로 변했다.

② 행동이나 성질 등을 계속 드러내거나 보이다.

예 게으름을 부리다 오늘 할 일을 다 못 마쳤다.

확인 학습

▶ 정답 30쪽

1-2 **밑줄 친 낱말의 뜻으로 알맞은 것의 기호를 쓰세요.**

1 친구들과 만나기로 한 날이 멀게만 느껴졌다. (　　　)

㉠ 거리가 많이 떨어져 있다.

㉡ 시간적으로 사이가 길거나 오래다.

2 그는 사람들을 부려서 이삿짐을 날랐다. (　　　)

㉠ 재주나 꾀 등을 피우다.

㉡ 마소나 다른 사람을 시켜 일을 하게 하다.

3-5 **다음 밑줄 친 낱말의 뜻풀이를 찾아 바르게 선으로 이으세요.**

3 이번 해에는 김치가 맵게 담가졌다. • 　　• ㉠ 성미가 사납고 독하다.

4 장발장은 매운 감옥살이를 마치고 나왔다. • 　　• ㉡ 고추나 겨자와 같이 맛이 알알하다.

5 비가 와서 장작불이 꺼지고 매운 연기가 날렸다. • 　　• ㉢ 연기 등이 눈이나 코를 아리게 하다.

6-7 **빈칸에 들어갈 알맞은 낱말을 보기에서 찾아 쓰세요.**

보기			
매워	멀어	반해	부려

6 토끼는 꾀를 (　　　) 호랑이에게서 달아났다.

7 두 사람의 집이 서로 (　　　) 가운데 장소에서 만나기로 했다.

8-9 **다음 뜻풀이에 알맞은 낱말을 보기에서 찾아 기호를 쓰세요.**

보기
수아: 저 가수는 키가 작고 아담한 데 ㉠반해 목소리는 힘차구나.
상희: 나는 그 목소리에 ㉡반했어.

8 반대가 되다. (　　　)

9 어떤 사람이나 사물 등에 마음이 홀린 것같이 쏠리다. (　　　)

걸린 시간 　　분 　　맞은 개수 　　개

공부한 날 ( )월 ( )일

심화 어휘 - 주제별 속담

★ 사람 사이의 관계

개밥에 도토리

따돌림을 받아서 여럿의 축에 끼지 못하는 사람을 이르는 말.

예 언니들이 나이 어린 나를 상대해 주지 않아 **개밥에 도토리** 신세가 되었다.

꾸어다 놓은 보릿자루

여럿이 모여 웃고 떠드는 가운데 혼자 묵묵히 앉아 있는 사람을 이르는 말.

예 왜 **꾸어다 놓은 보릿자루**마냥 가만히 있니?

바늘 가는 데 실 간다

바늘이 가는 데 실이 항상 뒤따른다는 뜻으로, 사람의 긴밀한 관계를 이르는 말.

예 **바늘 가는 데 실 간다**더니 너희는 어렸을 적부터 늘 같이 다니는구나.

어휘 쏙 긴밀하다 서로의 관계가 매우 가까워 빈틈이 없다.

심화 어휘 - 주제별 관용어

★ 눈과 관련된 관용어

눈에 띄다

두드러지게 드러나다.

예 한번 앓고 나더니 **눈에 띄게** 살이 빠졌다.

어휘 쏙 두드러지다 겉으로 드러나서 뚜렷하다.

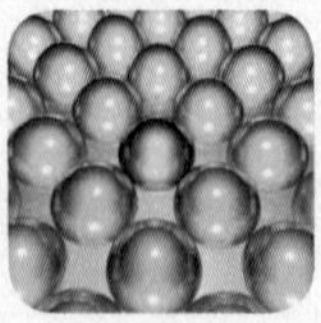

눈을 돌리다

관심을 돌리다.

예 자기 또래 아이들을 모두 이긴 승우는 이제 선배들에게로 **눈을 돌렸다**.

눈을 속이다

잠시 꾀를 써서 보는 사람이 속아 넘어가게 하다.

예 사람들의 **눈을 속여** 가짜 그림을 진짜라고 팔던 사기꾼이 붙잡혔다.

확인 학습

▶ 정답 30쪽

1-3 **다음 관용어와 그 뜻풀이를 바르게 선으로 이으세요.**

1	눈에 띄다 •	• ㉠ 관심을 돌리다.
2	눈을 돌리다 •	• ㉡ 두드러지게 드러나다.
3	눈을 속이다 •	• ㉢ 잠시 꾀를 써서 보는 사람이 속아 넘어가게 하다.

4-5 **다음 뜻풀이에 알맞은 속담을 보기 에서 찾아 기호를 쓰세요.**

보기 ㉠ 개밥에 도토리　㉡ 바늘 가는 데 실 간다　㉢ 꾸어다 놓은 보릿자루

4 여럿이 모여 웃고 떠드는 가운데 혼자 묵묵히 앉아 있는 사람을 이르는 말. (　　　)

5 바늘이 가는 데 실이 항상 뒤따른다는 뜻으로, 사람의 긴밀한 관계를 이르는 말. (　　　)

6-7 **빈칸에 들어갈 알맞은 낱말을 보기 에서 찾아 쓰세요.**

보기 단추　도토리　밤　실

6 바늘 가는 데 (　　　) 가는 것처럼 막내 동생은 항상 엄마를 따라다닌다.

7 처음 미국에 갔을 때 영어를 못해서 개밥에 (　　　)처럼 어느 모임에도 낄 수 없었다.

8 **다음 상황에 알맞은 관용어를 골라 ○표를 하세요.**

놀이공원에서 하늘을 날아다니는 사람을 보았다. 나와 친구들은 그 사람이 있는 곳으로 뛰어갔다. 알고 보니 눈에 (띄지, 어리지) 않는 실에 매달려 우리들의 눈을 (붙인, 속인) 것이었다. 허탈해진 우리는 다른 구경거리로 눈을 (돌렸다, 피했다).

걸린 시간 　　 분　　맞은 개수 　　 개

13회

공부한 날 ( )월 ( )일

교과 어휘 - 한자어

국어

신용
信 믿을 신 | 用 쓸 용

사람이나 사물이 틀림없다고 믿어 의심하지 아니함. 또는 그런 믿음성의 정도.

예 그는 거짓말을 자주 해서 친구들 사이에서 **신용**을 잃었다.

반의어 **불신** 믿지 아니함. 또는 믿지 못함.

국어

실용적
實 열매 실 | 用 쓸 용 | 的 과녁 적

실제로 쓰기에 알맞은. 또는 그런 것.

예 어제 산 옷은 **실용적**이면서도 멋스럽다.

사회

실현
實 열매 실 | 現 나타날 현

꿈, 기대 등을 실제로 이룸.

예 꿈을 **실현**할 때까지 계속 노력할 것이다.

유의어 **달성** 목적한 것을 이룸.

사회

악취
惡 악할 악 | 臭 냄새 취

나쁜 냄새.

예 사람들이 몰래 버리고 간 쓰레기에서 **악취**가 났다.

반의어 **향기** 꽃, 향, 향수 등에서 나는 좋은 냄새.

국어

안도
安 편안 안 | 堵 담 도

어떤 일이 잘 진행되어 마음을 놓음.

예 사슴은 사냥꾼이 가고 나서야 **안도**의 한숨을 내쉬었다.

과학

암석
巖 바위 암 | 石 돌 석

지각을 구성하고 있는 단단한 물질.

예 현무암은 화산 활동으로 만들어진 **암석**이다.

어휘 쏙 **지각** 지구의 바깥쪽을 차지하는 부분.

국어

약자
弱 약할 약 | 者 놈 자

힘이나 세력이 약한 사람이나 생물. 또는 그런 집단.

예 **약자**를 괴롭히는 것은 비겁한 행동이다.

어휘 쏙 **세력** 권력이나 기세의 힘.

반의어 **강자** 힘이나 세력이 강한 사람이나 생물 및 그 집단.

확인 학습

▶ 정답 31쪽

1-3 **다음 낱말과 그 뜻풀이를 바르게 선으로 이으세요.**

1 실현 • • ㉠ 꿈, 기대 등을 실제로 이룸.

2 안도 • • ㉡ 어떤 일이 잘 진행되어 마음을 놓음.

3 약자 • • ㉢ 힘이나 세력이 약한 사람이나 생물. 또는 그런 집단.

4-6 **다음 밑줄 친 낱말과 뜻이 반대인 낱말을 찾아 바르게 선으로 이으세요.**

4 비료를 뿌린 밭에서 <u>악취</u>가 났다. • • ㉠ 강자

5 밀림에서 <u>약자</u>는 살아남을 수 없다. • • ㉡ 불신

6 그는 성실한 태도로 <u>신용</u>을 쌓아 나갔다. • • ㉢ 향기

7-9 **빈칸에 들어갈 알맞은 낱말을 보기 에서 찾아 쓰세요.**

보기	신용	실용적	안도	암석

7 이 산은 산 전체가 (　　　　)(으)로 이루어져 있다.

8 어머니는 없어진 줄 알았던 아이의 얼굴을 보고 (　　　　)을/를 느꼈다.

9 혼자 사는 사람들이 (　　　　)(으)로 쓸 수 있는 주방 용품들이 인기이다.

10 **보기 의 밑줄 친 낱말과 바꾸어 쓸 수 있는 낱말은 무엇인가요?**

보기 남과 북의 평화를 <u>실현</u>하기 위해 모두 노력해야 합니다.

① 개성　　② 구성　　③ 달성　　④ 작성

걸린 시간 　　　분　　맞은 개수 　　　개

교과 어휘 - 고유어

국어

산뜻하다

① 기분이나 느낌이 깨끗하고 시원하다.

예 산 정상에 올라 시원한 바람을 맞으니 **산뜻하다**.

② 보기에 시원스럽고 말쑥하다.

예 정민이는 **산뜻한** 차림으로 나타났다.

반의어 **우중충하다** ① 날씨나 분위기 등이 어둡고 침침하다. ② 오래되거나 바래서 색깔이 선명하지 못하다.

과학

살갗

살가죽의 겉면.

예 해수욕장에서 하루 종일 놀았더니 **살갗**이 다 탔다.

국어

살펴보다

두루두루 자세히 보다.

예 어디선가 나를 부르는 목소리가 들려 주위를 **살펴보았다**.

유의어 **관찰하다** 사물이나 현상을 주의하여 자세히 살펴보다.

국어

삼가다

① 몸가짐이나 언행을 조심하다.

예 어른 앞에서는 말과 행동을 **삼가야** 한다.

② 꺼리는 마음으로 양이나 횟수가 지나치지 아니하도록 하다.

예 우리 아파트는 외부인의 출입을 **삼가고** 있다.

어휘 쏙 **언행** 말과 행동을 아울러 이르는 말.

국어

새침데기

새침한 성격을 지닌 사람.

예 나는 **새침데기**인 시은이와 말 한마디 나눠 보지 못했다.

어휘 쏙 **새침하다** 쌀쌀맞게 시치미를 떼는 태도가 있다.

국어

성기다

물건의 사이가 뜨다.

예 창밖에는 눈발이 **성기게** 날리고 있었다.

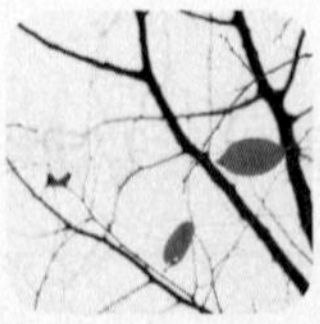

유의어 **드문드문하다** 공간적으로 촘촘하지 않고 사이가 떠 있다.

반의어 **빽빽하다** 사이가 촘촘하다.

국어

성큼성큼

다리를 잇따라 높이 들어 크게 떼어 놓는 모양.

예 나를 발견한 진수는 내 쪽으로 **성큼성큼** 다가왔다.

확인 학습

▶ 정답 31쪽

1-3 **다음 뜻풀이에 알맞은 낱말을 보기 에서 찾아 쓰세요.**

보기 산뜻하다 살펴보다 삼가다 성기다

1 두루두루 자세히 보다. (　　　　)

2 몸가짐이나 언행을 조심하다. (　　　　)

3 기분이나 느낌이 깨끗하고 시원하다. (　　　　)

4-5 **다음 낱말의 뜻풀이에 알맞은 말을 골라 ○표를 하세요.**

4 성큼성큼 다리를 잇따라 높이 들어 크게 (떼어, 띠어) 놓는 모양.

5 삼가다 (꺼리는, 아끼는) 마음으로 양이나 횟수가 지나치지 아니하도록 하다.

6-8 **다음 낱말이 들어갈 문장을 찾아 바르게 선으로 이으세요.**

6 살갗 • • ㉠ 뾰족한 나뭇가지들에 (　　　　)이/가 쓸려 쓰라렸다.

7 새침데기 • • ㉡ 아영이는 겉보기에는 (　　　　) 같은데 알고 보면 다정한 성격이다.

8 성긴 • • ㉢ 노인은 작은 물고기가 빠져나가도록 (　　　　) 그물로 고기잡이를 했다.

9 **보기 의 밑줄 친 낱말과 뜻이 반대인 낱말은 무엇인가요?**

보기 벽지를 새로 발랐더니 산뜻한 느낌이 든다.

① 깔끔한 ② 선명한 ③ 우중충한 ④ 홀가분한

걸린 시간 　　분 맞은 개수 　　개

심화 어휘 - 헷갈리기 쉬운 낱말

벌리다

① 둘 사이를 넓히거나 멀게 하다.

예 책상과 책상 사이를 조금만 더 벌려라.

② 우므러진 것을 펴지거나 열리게 하다.

예 찬호는 가방을 벌려서 가지고 있는 물건을 전부 꺼냈다.

벌이다

① 여러 가지 물건을 늘어놓다.

예 나는 가지고 있는 옷들을 다 벌여 놓고 어떤 옷을 입을지 고민했다.

② 일을 계획하여 시작하거나 펼쳐 놓다.

예 내 생일을 맞아 잔치를 벌였다.

빗다

머리털을 빗 등으로 가지런히 고르다.

예 나는 거울을 보며 머리를 곱게 빗었다.

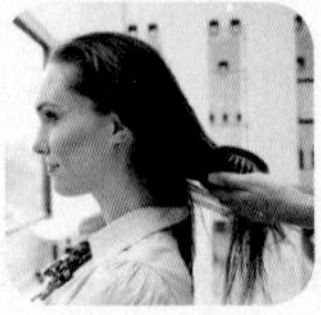

빚다

① 흙 등의 재료를 이겨서 어떤 형태를 만들다.

예 유경이는 찰흙으로 인형을 빚고 있다.

② 어떤 결과나 현상을 만들다.

예 원숭이가 동물원 우리에서 탈출하면서 소동을 빚었다.

어휘 쏙 현상 인간이 알아서 깨달을 수 있는, 사물의 모양과 상태.

삶다

물에 넣고 끓이다.

예 배가 고파서 감자를 삶아 먹었다.

삼다

무엇을 무엇이 되게 하거나 여기다.

예 나는 고양이를 말벗 삼아 말을 걸었다.

확인 학습

1-3 **다음 낱말과 그 뜻풀이를 바르게 선으로 이으세요.**

1 벌리다 • 　　　• ㉠ 물에 넣고 끓이다.

2 빗다 • 　　　• ㉡ 머리털을 빗 등으로 가지런히 고르다.

3 삶다 • 　　　• ㉢ 우므러진 것을 펴지거나 열리게 하다.

4-6 **빈칸에 들어갈 알맞은 낱말을 보기에서 찾아 쓰세요.**

보기			
벌렸다	벌였다	빗었다	삼았다

4 평강 공주는 온달을 남편으로 (　　　　).

5 2등과의 점수 차이를 5점으로 (　　　　).

6 꿈틀 초등학교 학생들은 물 아껴 쓰기 운동을 (　　　　).

7-8 **다음 문장에 알맞은 낱말을 골라 ○표를 하세요.**

7 지저분한 행주를 (삶으면, 삼으면) 다시 깨끗해진다.

8 그 연예인은 사람들 앞에서 거짓말을 해서 문제를 (빚었다, 빗었다).

9-10 **다음 글에서 잘못된 부분을 찾아 바르게 고쳐 쓰세요.**

어머니를 따라 시장에 갔다. 과일 가게와 신발 가게에서 물건을 사고 그릇 가게에도 들렀다. 그릇 가게 아저씨는 긴 탁자에 여러 그릇들을 벌려 놓고 계셨다. 나는 마음에 드는 그릇을 하나 골랐다. 아저씨가 그 그릇은 사람이 직접 손으로 빗어 만든 것이라고 하셨다.

9 (　　　　) → (　　　　)

10 (　　　　) → (　　　　)

걸린 시간 (　　) 분　　맞은 개수 (　　) 개

14회

공부한 날 월 일

교과 어휘 - 한자어

국어

엄격
嚴 엄할 엄 | 格 격식 격

말, 태도, 규칙 등이 매우 엄하고 철저함.

예 경찰은 속도위반을 **엄격** 단속하겠다고 밝혔다.

국어

업무
業 업 업 | 務 힘쓸 무

직장 같은 곳에서 맡아서 하는 일.

예 해야 할 **업무**가 산더미처럼 쌓였다.

유의어 **사무** 자신이 맡은 직책에 관련된 여러 가지 일을 처리하는 일.

사회

여가
餘 남을 여 | 暇 틈 가

일이 없어 남는 시간.

예 나는 **여가**가 있으면 보통 잠을 잔다.

유의어 **겨를** 어떤 일을 하다가 생각 등을 다른 데로 돌릴 수 있는 시간적인 여유.

국어

연관
聯 연이을 연 | 關 관계할 관

사물이나 현상이 일정한 관계를 맺는 일.

예 잠자는 시간과 건강은 **연관**이 깊다.

유의어 **상관** 서로 관련을 가짐. 또는 그런 관계.

과학

연료
燃 탈 연 | 料 헤아릴 료

열, 빛, 동력 등의 에너지를 얻고자 태우는 재료를 통틀어 이르는 말.

예 이 자동차는 휘발유를 **연료**로 쓴다.

어휘 쏙 **동력** 전기 또는 자연에 있는 에너지를 쓰기 위하여 기계적인 에너지로 바꾼 것.

사회

염전
鹽 소금 염 | 田 밭 전

소금을 만들기 위하여 바닷물을 끌어 들여 논처럼 만든 곳.

예 그 **염전**에서 나는 소금은 깨끗하고 맛이 좋다.

국어

오해
誤 그르칠 오 | 解 풀 해

그릇되게 해석하거나 뜻을 잘못 앎. 또는 그런 해석이나 이해.

예 나는 생김새 때문에 외국인이라는 **오해**를 자주 받는다.

어휘 쏙 **해석** 사물이나 행위 등의 내용을 판단하고 이해하는 일.

확인 학습

1-3 **다음 낱말과 그 뜻풀이를 바르게 선으로 이으세요.**

1 업무 •　　• ㉠ 직장 같은 곳에서 맡아서 하는 일.

2 연관 •　　• ㉡ 사물이나 현상이 일정한 관계를 맺는 일.

3 연료 •　　• ㉢ 열, 빛, 동력 등의 에너지를 얻고자 태우는 재료를 통틀어 이르는 말.

4-5 **다음 낱말의 뜻풀이에 알맞은 말을 골라 ○표를 하세요.**

4 엄격　말, 태도, 규칙 등이 매우 엄하고 (철수, 철저)함.

5 염전　소금을 만들기 위하여 바닷물을 끌어 들여 (논, 연못)처럼 만든 곳.

6-8 **빈칸에 들어갈 알맞은 낱말을 보기 에서 찾아 쓰세요.**

보기
업무　　여가　　연료　　오해

6 오랜만에 (　　　　)가 생겨서 산책을 하러 나갔다.

7 동화책에 그림을 그리는 것이 나의 (　　　　)이다.

8 한 시간 넘게 대화한 끝에 나와 친구는 (　　　　)를 풀 수 있었다.

9-10 **다음 밑줄 친 낱말과 바꾸어 쓸 수 있는 낱말을 보기 에서 찾아 쓰세요.**

보기
겨를　　사무　　상관

9 혈액형과 성격은 아무런 <u>연관</u>이 없다. (　　　　)

10 이번 여름에는 <u>여가</u>가 없어서 바다에 가지 못했다. (　　　　)

걸린 시간 　　　분　　맞은 개수 　　　개

교과 어휘 - 고유어

국어 □ □

솔기 옷이나 이부자리 등을 지을 때 두 폭을 맞대고 꿰맨 줄.

예 이불의 **솔기**가 터져서 그 사이로 솜이 나왔다.

과학 □ □

솟구치다 ① 아래에서 위로, 또는 안에서 밖으로 세차게 솟아오르다.

예 분수대에서 물이 **솟구쳤다**.

② 감정이나 힘 등이 급격히 솟아오르다.

예 동생이 내 방을 어지른 것을 보고 짜증이 **솟구쳤다**.

국어 □ □

수군거리다 남이 알아듣지 못하도록 낮은 목소리로 자꾸 가만가만 이야기하다.

예 사람들은 그가 범인일 것이라며 **수군거렸다**.

유의어 웅성거리다 여러 사람이 모여 소란스럽게 떠드는 소리가 자꾸 나다.

국어 □ □

수북이 ① 쌓이거나 담긴 물건 등이 불룩하게 많이.

예 소쿠리에 딸기가 **수북이** 쌓여 있다.

② 식물이나 털 등이 촘촘하고 길게 나 있는 상태로.

예 남자의 얼굴에는 수염이 **수북이** 나 있었다.

유의어 듬뿍 ① 넘칠 정도로 매우 가득하거나 수북한 모양. ② 매우 많거나 넉넉한 모양.

국어 □ □

스산하다 ① 몹시 어수선하고 쓸쓸하다.

예 아무도 살지 않는 그 집은 귀신이 나올 것처럼 **스산하다**.

② 날씨가 흐리고 으스스하다.

예 바깥에서 **스산한** 바람이 불어왔다.

유의어 을씨년스럽다 보기에 날씨나 분위기 등이 몹시 스산하고 쓸쓸한 데가 있다.

국어 □ □

쏘아보다 날카롭게 노려보다.

예 두 사람은 곧 싸울 듯이 서로를 **쏘아보았다**.

국어 □ □

쏠다 쥐나 좀 등이 물건을 잘게 물어뜯다.

예 쥐가 창고의 감자들을 **쏠아서** 못 먹게 만들었다.

어휘 쏙 좀 옷이나 나무, 곡식, 종이 등을 못 쓰게 만드는 조그마한 곤충.

확인 학습

1-3 **다음 뜻풀이에 알맞은 낱말을 보기에서 찾아 쓰세요.**

보기 솟구치다 수군거리다 스산하다 쏠다

1 몹시 어수선하고 쓸쓸하다. (　　　　)

2 쥐나 좀 등이 물건을 잘게 물어뜯다. (　　　　)

3 아래에서 위로, 또는 안에서 밖으로 세차게 솟아오르다. (　　　　)

4-5 **다음 낱말의 뜻풀이에 알맞은 말을 골라 ○표를 하세요.**

4 수북이 식물이나 털 등이 (촘촘하고, 칙칙하고) 길게 나 있는 상태로.

5 솔기 옷이나 이부자리 등을 지을 때 두 폭을 맞대고 (꼰, 꿰맨) 줄.

6-8 **다음 낱말이 들어갈 문장을 찾아 바르게 선으로 이으세요.**

6	솟구쳐 •	• ㉠ 두 사람은 서로 (　　　　) 입씨름했다.
7	수북이 •	• ㉡ 아주머니가 밥을 (　　　　) 담아 주셨다.
8	쏘아보며 •	• ㉢ 칭찬을 들으니 자신감이 (　　　　) 오른다.

9 **보기의 밑줄 친 낱말과 바꾸어 쓸 수 있는 낱말은 무엇인가요?**

보기 등 뒤에서 사람들이 수군거리는 소리가 들렸다.

① 요란한 ② 웅성거리는 ③ 유유자적하는 ④ 을씨년스러운

걸린 시간 (　　) 분 맞은 개수 (　　) 개

14회

공부한 날 ( )월 ( )일

심화 어휘 - 주제별 한자 성어

★ 스스로 행함

자문자답
自 스스로 자 | 問 물을 문 | 自 스스로 자 | 答 대답 답

스스로 묻고 스스로 대답함.

예 그는 자신이 무엇을 잘못했는지에 대해 **자문자답**을 해 나갔다.

자승자박
自 스스로 자 | 繩 노끈 승 | 自 스스로 자 | 縛 얽을 박

자기가 한 말과 행동에 자기 자신이 옭혀 곤란하게 됨을 이르는 말.

예 지각하면 벌금을 내자고 해 놓고 내가 지각했으니 **자승자박**이다.

어휘 쏙 옭히다 여러 가지 장애 때문에 일이 어렵게 되다.

자화자찬
自 스스로 자 | 畫 그림 화 | 自 스스로 자 | 讚 기릴 찬

자기가 그린 그림을 스스로 칭찬한다는 뜻으로, 자기가 한 일을 스스로 자랑함을 이르는 말.

예 형은 자신이 한 떡볶이가 맛있다며 **자화자찬**했다.

★ 일의 진행

용두사미
龍 용 용 | 頭 머리 두 | 蛇 긴 뱀 사 | 尾 꼬리 미

용의 머리와 뱀의 꼬리라는 뜻으로, 처음은 좋으나 끝이 좋지 않음을 이르는 말.

예 매일 저녁마다 운동을 하겠다던 내 결심은 **용두사미**로 그쳤다.

작심삼일
作 지을 작 | 心 마음 심 | 三 석 삼 | 日 날 일

단단히 먹은 마음이 사흘을 가지 못한다는 뜻으로, 결심이 굳지 못함을 이르는 말.

예 현수는 탄산음료를 끊겠다고 다짐했지만 **작심삼일**이었다.

화룡점정
畫 그림 화 | 龍 용 룡 | 點 점 점 | 睛 눈동자 정

무슨 일을 하는 데에 가장 중요한 부분을 완성함을 이르는 말.

예 불꽃놀이가 이번 축제의 **화룡점정**이었다.

확인 학습

▶ 정답 31쪽

1-3 다음 한자 성어와 그 뜻풀이를 바르게 선으로 이으세요.

1 자문자답 • • ㉠ 스스로 묻고 스스로 대답함.

2 자승자박 • • ㉡ 무슨 일을 하는 데에 가장 중요한 부분을 완성함을 이르는 말.

3 화룡점정 • • ㉢ 자기가 한 말과 행동에 자기 자신이 옭혀 곤란하게 됨을 이르는 말.

4-5 다음 한자 성어의 뜻풀이에 알맞은 말을 골라 ○표를 하세요.

4 용두사미 용의 머리와 뱀의 (꼬리, 허리)라는 뜻으로, 처음은 좋으나 끝이 좋지 않음을 이르는 말.

5 작심삼일 단단히 먹은 마음이 (나흘, 사흘)을 가지 못한다는 뜻으로, 결심이 굳지 못함을 이르는 말.

6-8 빈칸에 들어갈 알맞은 한자 성어를 보기 에서 찾아 쓰세요.

보기	용두사미	자문자답	자화자찬	화룡점정

6 이민영 선수의 홈런은 이번 경기의 (　　　　)이/가 되었다.

7 수영이는 "그렇게 좋아? 좋겠지."라고 (　　　　)하며 미진이를 놀렸다.

8 학생 회장은 다른 학생들의 노력은 잊은 채 (　　　　)만 해서 학생들의 마음을 잃었다.

9 다음 밑줄 친 상황을 표현하기에 알맞은 한자 성어는 무엇인가요?

나는 새 공책을 사서 글씨를 예쁘게 쓰기로 마음먹었다. 하지만 다짐한 지 얼마 지나지 않아 글씨가 흐트러져서 알아보기 힘들게 되었다.

① 자문자답　② 자승자박　③ 자화자찬
④ 작심삼일　⑤ 화룡점정

걸린 시간 　　분　맞은 개수 　　개

공부한 날 ( )월 ( )일

교과 어휘 - 한자어

국어

외면
外 바깥 외 | 面 낯 면

① 마주치기를 꺼리어 피하거나 얼굴을 돌림.

예 나는 혜지에게 인사했지만 혜지는 나를 **외면**했다.

② 어떤 것을 인정하지 않고 도외시함.

예 그의 발명품은 세상 사람들에게 **외면**을 당했다.

어휘 쏙 **도외시** 상관하지 아니하거나 무시함.

사회

우범
虞 염려할 우 | 犯 범할 범

범죄를 저지를 우려가 있음.

예 오늘도 경찰관들은 **우범** 지역을 순찰했다.

과학

운반
運 옮길 운 | 搬 옮길 반

물건 등을 옮겨 나름.

예 이삿짐 **운반**에 많은 돈이 들었다.

유의어 **운송** 사람을 태워 보내거나 물건 등을 실어 보냄.

국어

원격
遠 멀 원 | 隔 사이 뜰 격

멀리 떨어져 있음.

예 나는 일주일에 두 번씩 **원격** 수업을 듣는다.

과학

원료
原 근원 원 | 料 헤아릴 료

어떤 물건을 만드는 데 들어가는 재료.

예 두부의 **원료**는 콩이다.

유의어 **자재** 무엇을 만들기 위한 기본적인 재료.

국어

원인
原 근원 원 | 因 인할 인

어떤 사물이나 상태를 변화시키거나 일으키게 하는 근본이 된 일이나 사건.

예 누군가 담배꽁초를 버린 것이 산불의 **원인**이 되었다.

어휘 쏙 **근본** 사물이 본디부터 가지고 있는 성질이나 본바탕.

국어

위조
僞 거짓 위 | 造 지을 조

어떤 물건을 속일 목적으로 꾸며 진짜처럼 만듦.

예 그는 **위조**한 지폐를 사용하려다가 경찰에 붙잡혔다.

유의어 **날조** 사실이 아닌 것을 사실인 것처럼 거짓으로 꾸밈.

확인 학습

▶ 정답 31쪽

1-3 **다음 낱말과 그 뜻풀이를 바르게 선으로 이으세요.**

1 외면 •   • ㉠ 물건 등을 옮겨 나름.

2 운반 •   • ㉡ 어떤 것을 인정하지 않고 도외시함.

3 원료 •   • ㉢ 어떤 물건을 만드는 데 들어가는 재료.

4-5 **다음 낱말의 뜻풀이에 알맞은 말을 골라 ○표를 하세요.**

4 우범 (범람, 범죄)을/를 저지를 우려가 있음.

5 위조 어떤 물건을 (넘길, 속일) 목적으로 꾸며 진짜처럼 만듦.

6-8 **빈칸에 들어갈 알맞은 낱말을 보기에서 찾아 쓰세요.**

보기: 외면 원격 원인 위조

6 그들은 한번 크게 싸운 뒤 만나도 서로 ( )했다.

7 이산화 탄소는 지구의 기온을 높이는 ( )이/가 된다.

8 의사들은 병원에 오지 못하는 어르신을 ( )(으)로 진료한다.

9-10 **다음 밑줄 친 낱말과 바꾸어 쓸 수 있는 낱말을 보기에서 찾아 쓰세요.**

보기: 날조 운송 자재

9 이 책상을 꿈틀 회사 5층까지 <u>운반</u>해 주세요. ( )

10 이 화장품은 좋은 <u>원료</u>를 사용해서 피부에 좋다. ( )

걸린 시간 분 맞은 개수 개

교과 어휘 - 다의어

보다

① 눈으로 대상의 존재나 형태적 특징을 알다.

예 오늘 아침에 하늘에 떠 있는 무지개를 **보았다**.

어휘 쏙 존재 현실에 실제로 있음. 또는 그런 대상.

② 눈으로 대상을 즐기거나 감상하다.

예 나는 공포 영화를 **보는** 것을 좋아한다.

③ 맡아서 보살피거나 지키다.

예 나는 가끔씩 어머니를 대신해서 가게를 **본다**.

붙다

① 맞닿아 떨어지지 아니하다.

예 산속을 지나가는 동안 바지에 낙엽이 **붙었다**.

② 시험 등에 합격하다.

예 우리 언니는 가고 싶어 하던 대학에 **붙었다**.

③ 어떤 장소에 오래 머무르다. 또는 어떤 판에 끼어들다.

예 오늘은 날이 추우니 집에만 **붙어** 있어라.

교과 어휘 - 동음이의어

시각[1]
時 때 시 | 刻 새길 각

시간의 어느 한 시점.

예 왜 이런 늦은 **시각**까지 자지 않고 깨어 있었니?

시각[2]
視 볼 시 | 角 뿔 각

사물을 관찰하고 파악하는 기본적인 자세.

예 선생님은 항상 우리들을 긍정적인 **시각**으로 바라봐 주셨다.

연[1]
緣 인연 연

서로 관계를 맺게 되는 인연.

예 현빈이와 나는 같은 동네에 살았던 것이 **연**이 되어 아직도 사이좋게 지낸다.

연[2]
鳶 솔개 연

종이에 댓가지를 가로세로로 붙여 실을 맨 다음 공중에 높이 날리는 장난감.

예 **연**에 소원을 적어서 하늘로 날렸다.

확인 학습

1-2 **밑줄 친 낱말의 뜻으로 알맞은 것의 기호를 쓰세요.**

1 수영이는 도대체 한 자리에 붙어 있지를 못한다. (　　　)

㉠ 맞닿아 떨어지지 아니하다.

㉡ 어떤 장소에 오래 머무르다. 또는 어떤 판에 끼어들다.

2 이 시각 서울의 상황은 어떤지 알아보겠습니다. (　　　)

㉠ 시간의 어느 한 시점.

㉡ 사물을 관찰하고 파악하는 기본적인 자세.

3-5 **다음 밑줄 친 낱말의 뜻풀이를 찾아 바르게 선으로 이으세요.**

3 어제 길에서 성준이를 보았다. •

4 텔레비전을 보다가 깜빡 잠이 들었다. •

5 화장실 다녀올 동안만 내 물건 좀 봐 줘. •

• ㉠ 맡아서 보살피거나 지키다.

• ㉡ 눈으로 대상을 즐기거나 감상하다.

• ㉢ 눈으로 대상의 존재나 형태적 특징을 알다.

6-7 **빈칸에 들어갈 알맞은 낱말을 보기 에서 찾아 쓰세요.**

보기　보고　붙고　시각　연

6 우리는 각자의 (　　　)(으)로 세상을 바라본다.

7 나는 컴퓨터 활용 능력 시험에 (　　　) 내 동생은 떨어졌다.

8-9 **다음 뜻풀이에 알맞은 낱말을 보기 에서 찾아 기호를 쓰세요.**

보기
주희: 하늘에 떠 있는 저 파란색 ㉠연의 주인은 누구일까?
혜경: 글쎄. ㉡연이 닿으면 이 공원에서 만날 수 있지 않을까?

8 서로 관계를 맺게 되는 인연. (　　　)

9 종이에 댓가지를 가로세로로 붙여 실을 맨 다음 공중에 높이 날리는 장난감. (　　　)

걸린 시간 　　분　　맞은 개수 　　개

심화 어휘 - 주제별 속담

★ 어렵고 힘든 일

갈수록 태산

갈수록 더욱 어려운 지경에 처하게 되는 경우를 이르는 말.

예 오늘 겨우 영어 숙제가 끝났는데 수학 숙제도 있다니 **갈수록 태산**이구나.

어휘 쏙 지경 '경우'나 '형편', '정도'의 뜻을 나타내는 말.

고양이 목에 방울 달기

실행하기 어려운 것을 공연히 의논함을 이르는 말.

예 도서관에서 시끄럽게 떠드는 선배들을 내쫓자는 말은 **고양이 목에 방울 달기**나 다름없었다.

어휘 쏙 공연히 아무 까닭이나 실속이 없게.

밑 빠진 독에 물 붓기

밑 빠진 독은 아무리 물을 부어도 채울 수 없다는 뜻으로, 아무리 애를 써도 보람이 없는 일을 이르는 말.

예 뒷문이 열려 있으니 앞문에 아무리 자물쇠를 많이 채워도 **밑 빠진 독에 물 붓기**이다.

심화 어휘 - 주제별 관용어

★ 배와 관련된 관용어

배가 등에 붙다

먹은 것이 없어서 배가 홀쭉하고 몹시 허기지다.

예 아침부터 저녁까지 아무 것도 못 먹었더니 **배가 등에 붙었다**.

배가 아프다

남이 잘되어 심술이 나다.

예 나는 규현이가 상을 탄 것을 보고 **배가 아팠다**.

배를 불리다

재물이나 이득을 많이 차지하여 자신의 욕심을 채우다.

예 그는 자신의 **배를 불리는** 데만 관심이 있을 뿐 남은 돌보지 않았다.

확인 학습

▶ 정답 31쪽

1-3 **다음 관용어와 그 뜻풀이를 바르게 선으로 이으세요.**

1 배가 등에 붙다 • • ㉠ 남이 잘되어 심술이 나다.

2 배가 아프다 • • ㉡ 먹은 것이 없어서 배가 홀쭉하고 몹시 허기지다.

3 배를 불리다 • • ㉢ 재물이나 이득을 많이 차지하여 자신의 욕심을 채우다.

4-5 **다음 뜻풀이에 알맞은 속담을 보기에서 찾아 기호를 쓰세요.**

보기
㉠ 갈수록 태산
㉡ 밑 빠진 독에 물 붓기
㉢ 고양이 목에 방울 달기

4 실행하기 어려운 것을 공연히 의논함을 이르는 말. ( )

5 갈수록 더욱 어려운 지경에 처하게 되는 경우를 이르는 말. ( )

6-7 **빈칸에 들어갈 알맞은 낱말을 보기에서 찾아 쓰세요.**

보기 물 술 태산 태평

6 겨우 잡초를 다 뽑았는데 이제 거름을 줘야 한다니 갈수록 ( )이다.

7 그렇게 많이 먹으면 아무리 운동을 많이 해도 밑 빠진 독에 ( ) 붓기이다.

8 **다음 상황에 알맞은 관용어를 골라 ○표를 하세요.**

놀부는 동생네 식구들은 아랑곳하지 않고 자신의 배만 (두드리는, 불리는) 사람이었다. 어느 날 흥부가 놀부를 찾아와 배가 (가슴, 등)에 붙었다며 밥을 조금만 달라고 했다. 하지만 놀부는 흥부의 부탁을 매몰차게 거절했다.

걸린 시간 분 맞은 개수 개

16회

공부한 날 ( )월 ( )일

교과 어휘 - 한자어

국어

위협
威 위엄 위 | 脅 위협할 협

힘으로 으르고 협박함.

예 복어는 적이 다가오면 몸을 부풀리며 **위협**한다.

어휘 쏙 **협박** 겁을 주며 압력을 가하여 남에게 억지로 어떤 일을 하도록 함.

유의어 **공갈** 공포를 느끼도록 윽박지르며 을러댐.

국어

유쾌
愉 즐거울 유 | 快 쾌할 쾌

즐겁고 상쾌함.

예 거리에 **유쾌**한 웃음소리가 가득하다.

반의어 **불쾌** 못마땅하여 기분이 좋지 아니함.

국어

의료
醫 의원 의 | 療 고칠 료

의술로 병을 고침. 또는 그런 일.

예 저희 병원에는 최신 **의료** 장비가 준비되어 있습니다.

국어

의심
疑 의심할 의 | 心 마음 심

확실히 알 수 없어서 믿지 못하는 마음.

예 그를 향한 사람들의 **의심**은 커져만 갔다.

유의어 **의혹** 의심하여 수상히 여김. 또는 그런 마음.

국어

이기적
利 이로울 이 | 己 몸 기 | 的 과녁 적

자기 자신의 이익만을 꾀하는. 또는 그런 것.

예 그 사람은 다른 사람을 전혀 돌보지 않는 **이기적**인 사람이다.

사회

이익
利 이로울 이 | 益 더할 익

물질적으로나 정신적으로 보탬이 되는 것.

예 올해 여름은 무척 더워서 얼음 장사로 큰 **이익**을 보았다.

어휘 쏙 **물질적** 돈이나 그 밖의 값나가는 모든 물건과 관련된. 또는 그런 것.

과학

인공
人 사람 인 | 工 장인 공

사람의 힘으로 자연에 대하여 가공하거나 작용을 하는 일.

예 우리 집 앞 공원에는 **인공** 호수가 있다.

어휘 쏙 **작용** 어떠한 현상을 일으키거나 영향을 미침.

반의어 **천연** 사람의 힘을 가하지 아니한 상태.

확인 학습

▶ 정답 31쪽

1-3 **다음 낱말과 그 뜻풀이를 바르게 선으로 이으세요.**

1 유쾌 • • ㉠ 즐겁고 상쾌함.

2 의료 • • ㉡ 의술로 병을 고침. 또는 그런 일.

3 이기적 • • ㉢ 자기 자신의 이익만을 꾀하는. 또는 그런 것.

4-5 **다음 낱말의 뜻풀이에 알맞은 말을 골라 ○표를 하세요.**

4 의심 확실히 알 수 없어서 (고르지, 믿지) 못하는 마음.

5 이익 물질적으로나 정신적으로 (보탬, 보통)이 되는 것.

6-8 **빈칸에 들어갈 알맞은 낱말을 보기 에서 찾아 쓰세요.**

보기 위협 의료 이기적 인공

6 자기만 빨리 가겠다는 (   )인 사람들 때문에 교통이 복잡해졌다.

7 이 화장품에는 (   ) 색소가 들어 있지 않으니 안심하고 쓰셔도 됩니다.

8 작은 강아지라도 동물을 무서워하는 사람에게는 큰 (   )이/가 될 수 있다.

9 **보기 의 밑줄 친 낱말과 뜻이 반대인 낱말은 무엇인가요?**

보기 우진이는 말 한마디로 사람을 유쾌하게 만드는 재주가 있다.

① 경쾌　　② 불쾌　　③ 완쾌　　④ 통쾌

걸린 시간 (   ) 분　　맞은 개수 (   ) 개

교과 어휘 - 고유어

국어 □ □

쑥스럽다

하는 짓이나 모양이 자연스럽지 못하여 우습고 싱거운 데가 있다.

예 나는 처음 만난 유나에게 **쑥스럽게** 인사했다.

유의어 겸연쩍다 쑥스럽거나 미안하여 어색하다.

국어 □ □

아른거리다

① 무엇이 희미하게 보이다 말다 하다.

예 숲속에서 반딧불 같은 불빛들이 **아른거렸다**.

② 물이나 거울에 비친 그림자가 자꾸 흔들리다.

예 호수에 비친 구름이 **아른거렸다**.

어휘 쏙 희미하다 분명하지 못하고 어렴풋하다.

국어 □ □

안절부절못하다

마음이 초조하고 불안하여 어찌할 바를 모르다.

예 윤수는 새로 산 외투를 잃어버린 것을 알고 **안절부절못했다**.

어휘 쏙 초조하다 애가 타서 마음이 조마조마하다.

국어 □ □

알아맞히다

요구되거나 기대되는 답을 알아서 맞게 하다.

예 나는 선생님의 나이를 한 번에 **알아맞혔다**.

어휘 쏙 기대되다 어떤 일이 원하는 대로 이루어지기를 바라면서 기다리게 되다.

국어 □ □

알은척하다

① 어떤 일에 관심을 가지는 듯한 태도를 보이다.

예 내가 책을 꺼내자 자영이가 그 책을 읽었다며 **알은척했다**.

② 사람을 보고 인사하는 표정을 짓다.

예 동현이는 버스 정류장에 서 있는 나를 보고 **알은척했다**.

국어 □ □

앙다물다

힘을 주어 꽉 다물다.

예 동생은 입을 **앙다문** 채 고개를 저었다.

사회 □ □

어루만지다

① 가볍게 쓰다듬어 만지다.

예 나는 새끼 고양이를 **어루만지며** 잘 자라라고 말했다.

② 듣기 좋은 말이나 행동으로 달래거나 마음을 풀어 주다.

예 하은이가 시험에서 떨어진 나의 마음을 **어루만져** 주었다.

유의어 매만지다 ① 잘 가다듬어 손질하다. ② 부드럽게 어루만지다.

확인 학습

▶ 정답 31쪽

1-3 **다음 뜻풀이에 알맞은 낱말을 보기 에서 찾아 쓰세요.**

보기 아른거리다 안절부절못하다 앙다물다 어루만지다

1 물이나 거울에 비친 그림자가 자꾸 흔들리다. ( )

2 마음이 초조하고 불안하여 어찌할 바를 모르다. ( )

3 듣기 좋은 말이나 행동으로 달래거나 마음을 풀어 주다. ( )

4-5 **다음 낱말의 뜻풀이에 알맞은 말을 골라 ○표를 하세요.**

4 알아맞히다 요구되거나 (기대, 기억)되는 답을 알아서 맞게 하다.

5 알은척하다 어떤 일에 (관심, 상심)을 가지는 듯한 태도를 보이다.

6-8 **다음 낱말이 들어갈 문장을 찾아 바르게 선으로 이으세요.**

6 아른거렸다 •　　• ㉠ 나는 친구에게 다가가 먼저 ( ).

7 알은척했다 •　　• ㉡ 우거진 갈대 사이로 새 한 마리가 ( ).

8 앙다물었다 •　　• ㉢ 나는 울음이 터지는 것을 막으려고 입술을 ( ).

9-10 **다음 밑줄 친 낱말과 바꾸어 쓸 수 있는 낱말을 보기 에서 찾아 쓰세요.**

보기 겸연쩍어 매만져 희미해

9 나는 선생님의 칭찬이 <u>쑥스러워</u> 머리를 긁적였다. ( )

10 어머니는 여행을 잘 다녀오라며 내 손을 <u>어루만져</u> 주셨다. ( )

걸린 시간 분 맞은 개수 개

심화 어휘 - 헷갈리기 쉬운 낱말

스러지다

형체나 현상 등이 차차 희미해지면서 없어지다.

예 봄이 되자 매서운 추위도 **스러졌다**.

어휘 쏙 형체 물건의 생김새나 그 바탕이 되는 몸체.

쓰러지다

① 힘이 빠지거나 외부의 힘에 의하여 서 있던 상태에서 바닥에 눕는 상태가 되다.

예 바람이 심하게 불어서 은행나무가 **쓰러졌다**.

② 사람이 병이나 과로 등으로 정상 생활을 하지 못하고 몸져눕는 상태가 되다.

예 며칠 동안 밤을 새우며 공부하던 형이 **쓰러지고** 말았다.

어름

① 두 사물의 끝이 맞닿은 자리.

예 재첩은 민물과 바닷물의 **어름**에 사는 조개이다.

② 시간이나 장소나 사건 등의 일정한 테두리 안. 또는 그 가까이.

예 나는 오후 두 시 **어름**에 밥을 먹었다.

얼음

물이 얼어서 굳어진 물질.

예 발목을 삐어서 **얼음**으로 찜질을 했다.

잃어버리다

가졌던 물건이 자신도 모르게 없어져 그것을 아주 갖지 아니하게 되다.

예 모자를 잠깐 벗어 두었다가 **잃어버렸다**.

잊어버리다

한번 알았던 것을 모두 기억하지 못하거나 전혀 기억하여 내지 못하다.

예 사랑이의 전화번호를 **잊어버려서** 전화를 하지 못했다.

확인 학습

1-3 **다음 낱말과 그 뜻풀이를 바르게 선으로 이으세요.**

1 스러지다 •　　• ㉠ 형체나 현상 등이 차차 희미해지면서 없어지다.

2 쓰러지다 •　　• ㉡ 한번 알았던 것을 모두 기억하지 못하거나 전혀 기억하여 내지 못하다.

3 잊어버리다 •　　• ㉢ 사람이 병이나 과로 등으로 정상 생활을 하지 못하고 몸져눕는 상태가 되다.

4-6 **빈칸에 들어갈 알맞은 낱말을 보기에서 찾아 쓰세요.**

보기
어름　　얼음　　잃어버려　　잊어버려

4 아끼는 색연필을 (　　　　) 기분이 좋지 않다.

5 두껍게 언 (　　　　) 아래 물고기들이 헤엄치고 있었다.

6 길에서 우연히 옛 친구를 봤는데 이름을 (　　　　) 부르지 못했다.

7-8 **다음 문장에 알맞은 낱말을 골라 ○표를 하세요.**

7 서운한 마음이 눈 녹듯이 (스러졌다, 쓰러졌다).

8 두 길이 합쳐지는 (어름, 얼음)에 그 가게가 있었다.

9-10 **다음 글에서 잘못된 부분을 찾아 바르게 고쳐 쓰세요.**

> 도서관에 가려고 집을 나섰는데 밖이 너무 더웠다. 나는 햇볕을 막을 양산을 찾았다. 하지만 양산은 가방 속에 없었다. 깜빡 잃어버리고 안 가지고 나온 모양이다. 더위에 지쳐 곧 스러질 것만 같았다. 그런데 저 멀리서 내가 탈 버스가 오는 것이 보였다. 나는 너무 기뻤다.

9 (　　　　) → (　　　　)

10 (　　　　) → (　　　　)

걸린 시간 (　　) 분　　맞은 개수 (　　) 개

17회

공부한 날 ( )월 ( )일

교과 어휘 - 한자어

국어 □ □

인류
人 사람 인 | 類 무리 류

세계의 모든 사람.

예 환경 오염은 **인류**를 위험에 빠뜨릴 수 있다.

국어 □ □

인정
認 알 인 | 定 정할 정

확실히 그렇다고 여김.

예 그는 끝까지 자신의 잘못을 **인정**하지 않았다.

유의어 **시인** 어떤 내용이나 사실이 옳거나 그러하다고 인정함.

사회 □ □

일부
一 한 일 | 部 떼 부

한 부분. 또는 전체를 여럿으로 나눈 얼마.

예 상품으로 받은 것의 **일부**는 학교에 기증하였다.

사회 □ □

작성
作 지을 작 | 成 이룰 성

서류, 원고 등을 만듦.

예 오늘까지 방학 계획표를 **작성**해서 내세요.

어휘 쏙 **원고** 인쇄하거나 발표하기 위하여 쓴 글이나 그림 등.

국어 □ □

작정
作 지을 작 | 定 정할 정

일을 어떻게 하기로 결정함. 또는 그런 결정.

예 아직까지도 숙제를 시작하지 않았다니, 어떻게 할 **작정**이야?

유의어 **결심** 할 일에 대하여 어떻게 하기로 마음을 굳게 정함. 또는 그런 마음.

과학 □ □

장비
裝 꾸밀 장 | 備 갖출 비

갖추어 차림. 또는 그 장치와 설비.

예 과학실에서 실험 **장비** 좀 가져다줄래?

어휘 쏙 **설비** 필요한 것을 베풀어서 갖춤. 또는 그런 시설.

국어 □ □

장신구
裝 꾸밀 장 | 身 몸 신 | 具 갖출 구

몸치장을 하는 데 쓰는 물건.

예 그녀는 목걸이, 귀걸이, 팔찌 등 온갖 **장신구**로 한껏 꾸미고 외출했다.

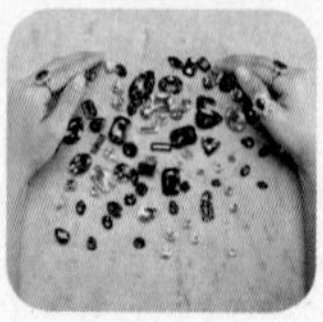

어휘 쏙 **몸치장** 몸을 보기 좋고 맵시 있게 하려고 하는 치장.

확인 학습

▶ 정답 32쪽

1-3 다음 낱말과 그 뜻풀이를 바르게 선으로 이으세요.

1 인정 •　　• ㉠ 확실히 그렇다고 여김.

2 작정 •　　• ㉡ 갖추어 차림. 또는 그 장치와 설비.

3 장비 •　　• ㉢ 일을 어떻게 하기로 결정함. 또는 그런 결정.

4-5 다음 낱말의 뜻풀이에 알맞은 말을 골라 ○표를 하세요.

4 인류　세계의 모든 (사람, 사물).

5 장신구　(몸수색, 몸치장)을 하는 데 쓰는 물건.

6-8 빈칸에 들어갈 알맞은 낱말을 보기에서 찾아 쓰세요.

보기　인류　일부　작성　장비

6 서울의 (　　　) 지역에는 눈이 내리겠습니다.

7 수영 수업을 듣고 싶은 학생들은 신청서를 (　　　)하세요.

8 보호 (　　　)을/를 하지 않으신 분들은 들어올 수 없습니다.

9-10 다음 밑줄 친 낱말과 바꾸어 쓸 수 있는 낱말을 보기에서 찾아 쓰세요.

보기　결심　설비　시인

9 범인은 자신이 그 일을 저질렀다고 <u>인정</u>했다. (　　　)

10 나는 매일 두 시간 동안 공부하기로 <u>작정</u>했다. (　　　)

걸린 시간 (　　) 분　맞은 개수 (　　) 개

공부한 날 ( )월 ( )일

교과 어휘 - 고유어

국어

어림하다

대강 짐작으로 헤아리다.

예 나는 오랜만에 만난 은경이의 키를 **어림해** 보았다.

어휘 쏙 짐작 사정이나 형편 등을 어림잡아 헤아림.

국어

어엿하다

행동이 거리낌 없이 아주 당당하고 떳떳하다.

예 나도 이제 **어엿한** 학생이 되었다.

유의어 버젓하다 남의 축에 빠지지 않을 정도로 번듯하다.

국어

얹다

① 위에 올려놓다.

예 열이 나는지 보려고 이마에 손을 **얹었다.**

② 일정한 분량이나 액수 위에 얼마 정도 더 덧붙이다.

예 문구점 아저씨가 내가 산 학용품에 연필을 두 자루 **얹어** 주셨다.

어휘 쏙 분량 수효, 무게 등의 많고 적음이나 부피의 크고 작은 정도.

국어

엎지르다

그릇에 담기어 있는 액체 등을 뒤집어 엎어 쏟아지게 하거나 흔들어 넘쳐 나가게 하다.

예 컵에 담긴 우유를 책상에 **엎질렀다.**

사회

엿기름

보리에 물을 부어 싹이 트게 한 다음에 말린 것으로, 식혜나 엿을 만드는 데에 쓰이는 재료.

예 **엿기름**은 식혜의 맛을 좌우하는 중요한 재료이다.

국어

엿보다

남이 보이지 아니하는 곳에 숨거나 남이 알아차리지 못하게 하여 대상을 살펴보다.

예 도둑은 집주인이 나가는 것을 **엿보고** 있었다.

유의어 염탐하다 몰래 남의 사정을 살피고 조사하다.

국어

오톨도톨

물건의 거죽이나 바닥이 여기저기 잘게 부풀어 올라 고르지 못한 모양.

예 찬 공기를 맞자 닭살이 **오톨도톨** 돋았다.

확인 학습

1-3 **다음 뜻풀이에 알맞은 낱말을 보기 에서 찾아 쓰세요.**

보기 어림하다 어엿하다 얹다 엎지르다

1 위에 올려놓다. (　　　)

2 대강 짐작으로 헤아리다. (　　　)

3 행동이 거리낌 없이 아주 당당하고 떳떳하다. (　　　)

4-5 **다음 낱말의 뜻풀이에 알맞은 말을 골라 ○표를 하세요.**

4 엿기름 (보리, 현미)에 물을 부어 싹이 트게 한 다음에 말린 것으로, 식혜나 엿을 만드는 데에 쓰이는 재료.

5 엿보다 남이 보이지 아니하는 곳에 숨거나 남이 알아차리지 못하게 하여 대상을 (돌아보다, 살펴보다).

6-8 **다음 낱말이 들어갈 문장을 찾아 바르게 선으로 이으세요.**

6 얹어 • • ㉠ 침대에 콜라를 (　　　) 어머니께 혼났다.

7 엎질러 • • ㉡ 동생 몸에 (　　　) 두드러기가 올라와서 병원에 갔다.

8 오톨도톨 • • ㉢ 마트 아저씨는 덤으로 아이스크림 한 개를 (　　　) 주셨다.

9 **보기 의 밑줄 친 낱말과 바꾸어 쓸 수 있는 낱말은 무엇인가요?**

보기 책 읽기를 좋아하던 진호는 이제 어엿한 소설가가 되었다.

① 버석한　② 버젓한　③ 염려하는　④ 염탐하는

걸린 시간 (　　) 분　맞은 개수 (　　) 개

심화 어휘 - 주제별 한자 성어

★ 성공과 출세

금의환향
錦 비단 금 | 衣 옷 의 | 還 돌아올 환 | 鄕 고향 향

비단옷을 입고 고향에 돌아온다는 뜻으로, 출세를 하여 고향에 돌아가거나 돌아옴을 이르는 말.

예 우리나라 양궁 선수들은 금메달을 따고 **금의환향**했다.

어휘 쏙 출세 사회적으로 높은 지위에 오르거나 유명하게 됨.

대기만성
大 클 대 | 器 그릇 기 | 晩 늦을 만 | 成 이룰 성

큰 그릇을 만드는 데는 시간이 오래 걸린다는 뜻으로, 크게 될 사람은 늦게 이루어짐을 이르는 말.

예 그는 연구를 시작한 지 10년 만에 자신의 이름을 알린 **대기만성**형 과학자이다.

입신양명
立 설 립 | 身 몸 신 | 揚 날릴 양 | 名 이름 명

출세하여 이름을 세상에 떨침.

예 나는 하루빨리 **입신양명**하여 부모님께 효도하고 싶다.

★ 생각을 깊게 함

선견지명
先 먼저 선 | 見 볼 견 | 之 어조사 지 | 明 밝을 명

어떤 일이 일어나기 전에 미리 앞을 내다보고 아는 지혜.

예 비가 올 것을 알고 우산을 챙기다니, 너 **선견지명**이 있구나.

심사숙고
深 깊을 심 | 思 생각 사 | 熟 익을 숙 | 考 생각할 고

깊이 잘 생각함.

예 동물을 입양하기 전에는 **심사숙고**해 봐야 한다.

역지사지
易 바꿀 역 | 地 땅 지 | 思 생각 사 | 之 어조사 지

처지를 바꾸어서 생각하여 봄.

예 **역지사지**를 통해 비로소 친구의 마음을 알게 되었다.

확인 학습

1-3 **다음 한자 성어와 그 뜻풀이를 바르게 선으로 이으세요.**

1 심사숙고 • • ㉠ 깊이 잘 생각함.

2 역지사지 • • ㉡ 출세하여 이름을 세상에 떨침.

3 입신양명 • • ㉢ 처지를 바꾸어서 생각하여 봄.

4-5 **다음 한자 성어의 뜻풀이에 알맞은 말을 골라 ○표를 하세요.**

4 선견지명 어떤 일이 일어나기 전에 미리 앞을 (내다보고, 돌아보고) 아는 지혜.

5 금의환향 (비단옷, 명주옷)을 입고 고향에 돌아온다는 뜻으로, 출세를 하여 고향에 돌아가거나 돌아옴을 이르는 말.

6-8 **빈칸에 들어갈 알맞은 한자 성어를 보기 에서 찾아 쓰세요.**

보기 대기만성 선견지명 심사숙고 역지사지

6 그는 여러 번 실패했지만 끊임없이 노력하여 (　　　　)했다.

7 다른 나라의 문화는 (　　　　)해 봐야 제대로 이해할 수 있다.

8 우리 서점은 (　　　　) 끝에 올해의 책 다섯 권을 선정했습니다.

9 **다음 밑줄 친 상황을 표현하기에 알맞은 한자 성어는 무엇인가요?**

율곡 이이는 전쟁에 나서서 싸울 수 있는 군사 10만 명을 길러야 한다고 주장했다. 다른 사람들은 이런 평화로운 시절에 전쟁이 나지 않을 것이라며 이이의 말을 무시했다. 하지만 10년 후 이이의 말대로 일본군이 조선에 쳐들어오면서 임진왜란이 일어났다.

① 금의환향 ② 대기만성 ③ 선견지명
④ 역지사지 ⑤ 입신양명

걸린 시간 　 분 　 맞은 개수 　 개

공부한 날 ( )월 ( )일

교과 어휘 - 한자어

사회 □ □

저수지
貯 쌓을 저 | 水 물 수 | 池 못 지

물을 모아 두기 위하여 하천이나 골짜기를 막아 만든 큰 못.

예 이 **저수지** 안에는 여러 종류의 물고기가 살고 있다.

국어 □ □

저자
著 나타날 저 | 者 놈 자

글로 써서 책을 지어 낸 사람.

예 **저자**의 생각은 이 책의 120쪽에 자세히 나와 있다.

유의어 **지은이** 글을 쓰거나 문학 작품, 악곡 등의 작품을 지은 사람.

사회 □ □

저장
貯 쌓을 저 | 藏 감출 장

물건이나 재화 등을 모아서 간수함.

예 이번에 수확한 감자를 창고에 **저장**해 두었다.

유의어 **비축** 만약의 경우를 대비하여 미리 갖추어 모아 두거나 저축함.

국어 □ □

적성
適 맞을 적 | 性 성품 성

어떤 일에 알맞은 성질이나 적응 능력. 또는 그와 같은 소질이나 성격.

예 국어보다는 수학이 내 **적성**에 맞는다.

국어 □ □

전담
全 온전할 전 | 擔 멜 담

어떤 일이나 비용의 전부를 도맡아 하거나 부담함.

예 이번 축제에 드는 비용은 서울시가 **전담**하기로 했다.

반의어 **분담** 나누어서 맡음.

어휘 쏙 **부담하다** 어떠한 의무나 책임을 지다.

과학 □ □

절벽
絕 끊을 절 | 壁 벽 벽

바위가 깎아 세운 것처럼 아주 높이 솟아 있는 험한 낭떠러지.

예 **절벽** 가장자리에 예쁜 꽃이 자라고 있다.

유의어 **벼랑** 낭떠러지의 험하고 가파른 언덕.

사회 □ □

접수
接 이을 접 | 受 받을 수

신청이나 신고 등을 구두나 문서로 받음.

예 병원에 처음 오신 분들은 이곳에서 진료 **접수**를 하세요.

어휘 쏙 **구두** 마주 대하여 입으로 하는 말.

확인 학습

▶ 정답 32쪽

1-3 **다음 낱말과 그 뜻풀이를 바르게 선으로 이으세요.**

1 저수지 • • ㉠ 물건이나 재화 등을 모아서 간수함.

2 저장 • • ㉡ 신청이나 신고 등을 구두나 문서로 받음.

3 접수 • • ㉢ 물을 모아 두기 위하여 하천이나 골짜기를 막아 만든 큰 못.

4-5 **다음 낱말의 뜻풀이에 알맞은 말을 골라 ○표를 하세요.**

4 저자 글로 써서 (음악, 책)을 지어 낸 사람.

5 전담 어떤 일이나 비용의 (일부, 전부)를 도맡아 하거나 부담함.

6-8 **빈칸에 들어갈 알맞은 낱말을 보기 에서 찾아 쓰세요.**

보기			
저장	적성	절벽	접수

6 시원한 곳에 음식을 (   )하면 오래 먹을 수 있다.

7 나는 학교에 다니는 동안 내 (   )에 맞는 일을 찾았다.

8 그는 조금만 발을 헛디디면 떨어질 것 같은 (   )에 서 있었다.

9-10 **다음 밑줄 친 낱말과 바꾸어 쓸 수 있는 낱말을 보기 에서 찾아 쓰세요.**

보기		
벼랑	비축	지은이

9 이 탱크에는 물을 1톤 정도 저장해 둘 수 있다. (   )

10 저자는 자신의 책을 읽어 준 모든 사람에게 감사하다고 말했다. (   )

걸린 시간 분 맞은 개수 개

교과 어휘 - 다의어

뽑다

① 박힌 것을 잡아당기어 빼내다.

예 치과에서 이를 **뽑았다**.

② 속에 들어 있는 기체나 액체를 밖으로 나오게 하다.

예 형은 헌혈의 집에서 피를 **뽑았다**.

③ 여럿 가운데에서 골라내다.

예 우리 반은 진우를 반장으로 **뽑았다**.

상하다
傷 다칠 상

① 물건이 깨어지거나 헐다.

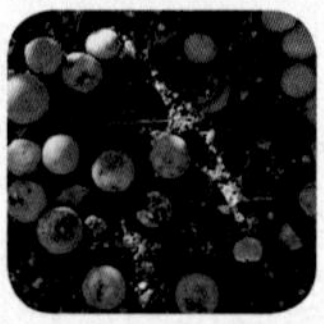

예 이 옷감은 세탁기로 빨면 **상할** 수 있다.

② 음식이 변하거나 썩어서 먹을 수 없게 되다.

예 바깥에 내놓은 우유가 **상했다**.

③ 근심, 슬픔, 노여움 등으로 마음이 언짢아지다.

예 친구가 내 이름을 가지고 놀려서 기분이 **상했다**.

교과 어휘 - 동음이의어

의사[1]
醫 의원 의 | 師 스승 사

일정한 자격을 가지고 병을 고치는 것을 직업으로 하는 사람.

예 내 꿈은 소아과 **의사**이다.

어휘 쏙 자격 일정한 일을 하는 데 필요한 조건이나 능력.

의사[2]
意 뜻 의 | 思 생각 사

무엇을 하고자 하는 생각.

예 저는 저의 **의사**를 똑똑히 전달했습니다.

장수[1]

장사하는 사람.

예 과일 **장수**에게서 귤 한 바구니를 샀다.

장수[2]
將 장수 장 | 帥 장수 수

군사를 거느리는 우두머리.

예 그 **장수**는 용맹하고 충성스러웠다.

확인 학습

1-2 **밑줄 친 낱말의 뜻으로 알맞은 것의 기호를 쓰세요.**

1 민수와의 팔씨름에서 지고 자존심이 상했다. (　　　)

㉠ 물건이 깨어지거나 헐다.
㉡ 근심, 슬픔, 노여움 등으로 마음이 언짢아지다.

2 나는 결혼할 의사가 전혀 없다. (　　　)

㉠ 무엇을 하고자 하는 생각.
㉡ 일정한 자격을 가지고 병을 고치는 것을 직업으로 하는 사람.

3-5 **다음 밑줄 친 낱말의 뜻풀이를 찾아 바르게 선으로 이으세요.**

3 벽에 박힌 못이 위험해 보여서 뽑았다. •	• ㉠ 여럿 가운데에서 골라내다.
4 우리는 투표를 통해 대표를 뽑기로 했다. •	• ㉡ 박힌 것을 잡아당기어 빼내다.
5 해수욕장에 다녀온 뒤 튜브의 바람을 뽑았다. •	• ㉢ 속에 들어 있는 기체나 액체를 밖으로 나오게 하다.

6-7 **빈칸에 들어갈 알맞은 낱말을 보기에서 찾아 쓰세요.**

보기 뽑기 상하기 의사 장수

6 따뜻한 곳에 놓인 음식은 (　　　) 쉽다.

7 (　　　) 선생님이 독감 예방 주사를 놓아 주셨다.

8-9 **다음 뜻풀이에 알맞은 낱말을 보기에서 찾아 기호를 쓰세요.**

보기 일성: 여보게, 무기 ㉠장수에게서 무얼 샀나?
이성: 우리 ㉡장수님께 가져다 드릴 칼을 샀다네.

8 장사하는 사람. (　　　)

9 군사를 거느리는 우두머리. (　　　)

걸린 시간 (　　) 분 맞은 개수 (　　) 개

공부한 날 ( )월 ( )일

심화 어휘 - 주제별 속담

★ 신중한 태도

급히 먹는 밥이 체한다 너무 급히 서둘러 일을 하면 잘못하고 실패하게 됨을 이르는 말.

예 급히 먹는 밥이 체한다고 했으니 아무리 급해도 주변을 잘 살피며 조심히 가거라.

돌다리도 두들겨 보고 건너라 잘 아는 일이라도 세심하게 주의를 하라는 말.

예 돌다리도 두들겨 보고 건너듯이 다 푼 문제도 다시 한번 풀어보자.

어휘 쏙 세심하다 작은 일에도 꼼꼼하게 주의를 기울여 빈틈이 없다.

새도 가지를 가려서 앉는다 친구를 사귀거나 직업을 택할 때에 신중하게 잘 가려서 택해야 한다는 말.

예 새도 가지를 가려서 앉는다고 거짓말을 잘하는 친구는 사귀지 않는 것이 좋다.

어휘 쏙 신중하다 매우 조심스럽다.

심화 어휘 - 주제별 관용어

★ 마음과 관련된 관용어

마음에 차다 마음에 흡족하게 여기다.

예 새로 이사 온 동네는 내 마음에 차는 곳이었다.

마음을 풀다 긴장하였던 마음을 늦추다.

예 발표가 끝나고 겨우 마음을 풀었다.

마음이 돌아서다 가졌던 마음이 아주 달라지다.

예 동생은 마음이 돌아섰는지 더는 내 옷을 달라고 조르지 않았다.

확인 학습

▶ 정답 32쪽

1-3 **다음 관용어와 그 뜻풀이를 바르게 선으로 이으세요.**

1 마음에 차다 • • ㉠ 마음에 흡족하게 여기다.

2 마음을 풀다 • • ㉡ 긴장하였던 마음을 늦추다.

3 마음이 돌아서다 • • ㉢ 가졌던 마음이 아주 달라지다.

4-5 **다음 뜻풀이에 알맞은 속담을 보기에서 찾아 기호를 쓰세요.**

보기
㉠ 급히 먹는 밥이 체한다
㉡ 새도 가지를 가려서 앉는다
㉢ 돌다리도 두들겨 보고 건너라

4 잘 아는 일이라도 세심하게 주의를 하라는 말. (　　　)

5 친구를 사귀거나 직업을 택할 때에 신중하게 잘 가려서 택해야 한다는 말. (　　　)

6-7 **빈칸에 들어갈 알맞은 낱말을 보기에서 찾아 쓰세요.**

보기 강 돌 물 밥 새

6 급히 먹은 (　　　)이/가 체하는 것처럼 굶어서 급하게 뺀 살은 도로 찌기 쉽다.

7 (　　　)다리도 두들겨 보고 건너는 것처럼 현장 체험 학습을 갈 때 필요한 준비물을 다시 한번 확인해 보아라.

8 **다음 상황에 알맞은 관용어를 골라 ○표를 하세요.**

어제 선생님께서 숙제 검사를 하시며 틀린 문제가 있으니 다시 풀어 오라고 하셨다. 오늘 떨리는 마음으로 선생님께 공책을 가져갔다. 선생님은 마음에 (없으시다, 차신다)는 표정으로 이번에는 다 맞았다고 하셨다. 나는 그제야 마음이 (돌아섰다, 풀렸다).

걸린 시간 　　 분　　 맞은 개수 　　 개

19회

공부한 날 ( )월 ( )일

교과 어휘 - 한자어

국어 □□

정원
定 정할 정 | 員 인원 원

일정한 규정에 의하여 정한 인원.

예 우리 영화 감상부의 **정원**은 열 명입니다.

어휘 쏙 규정 규칙으로 정함. 또는 그 정하여 놓은 것.

사회 □□

제작
製 지을 제 | 作 지을 작

재료를 가지고 기능과 내용을 가진 새로운 물건이나 예술 작품을 만듦.

예 이 물건은 **제작**하는 데만 1년이 걸렸다.

유의어 개발 새로운 물건을 만들거나 새로운 생각을 내어놓음.

사회 □□

조선소
造 지을 조 | 船 배 선 | 所 바 소

배를 만들거나 고치는 곳.

예 경상남도의 거제도에는 매우 큰 **조선소**가 있다.

국어 □□

조율
調 고를 조 | 律 법칙 율

① 악기의 음을 표준음에 맞추어 고름.

예 악기점에서 바이올린을 **조율**했다.

② 문제를 어떤 대상에 알맞거나 마땅하도록 조절함을 이르는 말.

예 이번에 어느 곳으로 여행을 갈지 의견을 **조율**해 보자.

어휘 쏙 표준음 음높이를 정할 때에 기준이 되는 음.

국어 □□

즉석
卽 곧 즉 | 席 자리 석

어떤 일이 진행되는 바로 그 자리.

예 이 카메라는 찍은 사진을 **즉석**에서 뽑아 볼 수 있다.

유의어 앉은자리 어떤 일이 벌어진 바로 그 자리.

과학 □□

증발
蒸 찔 증 | 發 필 발

어떤 물질이 액체 상태에서 기체 상태로 변함. 또는 그런 현상.

예 바닷물을 **증발**시키면 소금을 얻을 수 있다.

유의어 기화 액체가 기체로 변함. 또는 그런 현상.

국어 □□

지천
至 이를 지 | 賤 천할 천

매우 흔함.

예 산에 진달래꽃이 **지천**으로 피어 있다.

확인 학습

▶ 정답 32쪽

1-3 다음 낱말과 그 뜻풀이를 바르게 선으로 이으세요.

1 정원 • • ㉠ 매우 흔함.

2 조율 • • ㉡ 일정한 규정에 의하여 정한 인원.

3 지천 • • ㉢ 악기의 음을 표준음에 맞추어 고름.

4-5 다음 낱말의 뜻풀이에 알맞은 말을 골라 ○표를 하세요.

4 조선소 (배, 비행기)를 만들거나 고치는 곳.

5 제작 재료를 가지고 기능과 내용을 가진 새로운 물건이나 (무술, 예술) 작품을 만듦.

6-8 빈칸에 들어갈 알맞은 낱말을 보기에서 찾아 쓰세요.

보기 조율 즉석 증발 지천

6 놀이공원에 (　　　)으로 그림을 그려 주는 곳이 있다.

7 손에 있던 물기가 (　　　)하면서 시원한 기분이 들었다.

8 두 사람은 만날 날짜를 (　　　)하기 위해 서로 전화를 주고받았다.

9 보기의 밑줄 친 낱말과 바꾸어 쓸 수 있는 낱말은 무엇인가요?

보기 이 물병은 땅에 묻으면 썩어 없어지는 플라스틱으로 <u>제작</u>되었다.

① 개교 ② 개발 ③ 개봉 ④ 개선

걸린 시간 　　 분 맞은 개수 　　 개

교과 어휘 - 고유어

국어 □□

우두머리

어떤 일이나 단체에서 으뜸인 사람.

예 그는 어느 모임에서나 **우두머리**가 되고 싶어 한다.

어휘 쏙 으뜸 ① 많은 것 가운데 가장 뛰어난 것. 또는 첫째가는 것. ② 기본이나 근본이 되는 뜻.

국어 □□

우중충하다

① 날씨나 분위기 등이 어둡고 침침하다.

예 하늘은 곧 눈이 올 것처럼 **우중충했다**.

② 오래되거나 바래서 색깔이 선명하지 못하다.

예 이 옷은 색이 너무 **우중충해서** 사지 않기로 했다.

유의어 어두침침하다 어둡고 침침하다.

국어 □□

움찔하다

깜짝 놀라 갑자기 몸이 움츠러들다. 또는 몸을 움츠리다.

예 승호는 잠자리가 자기 쪽으로 날아오는 것을 보고 **움찔했다**.

국어 □□

움켜쥐다

① 손가락을 우그리어 손안에 꽉 잡고 놓지 아니하다.

예 아기가 어머니의 손가락을 **움켜쥐었다**.

② 일이나 물건을 수중에 넣고 마음대로 다루다.

예 그 부자가 온 동네의 돈을 **움켜쥐고** 있었다.

어휘 쏙 수중 ① 손의 안. ② 자기가 가질 수 있거나 권력을 부려 쓸 수 있는 범위.

국어 □□

을러메다

위협적인 언동으로 을러서 남을 억누르다.

예 똘이는 선생님께 이르면 가만두지 않을 것이라며 우리를 **을러멨다**.

어휘 쏙 으르다 상대편이 겁을 먹도록 무서운 말이나 행동으로 위협하다.

사회 □□

이듬해

바로 다음의 해.

예 **이듬해**에는 이 나무에도 꽃이 필 것이다.

유의어 내년 올해의 바로 다음 해.

국어 □□

일구다

논밭을 만들기 위하여 땅을 파서 일으키다.

예 노인은 버려졌던 땅을 **일구어** 아름다운 꽃밭을 만들었다.

확인 학습

▶ 정답 32쪽

1-3 **다음 뜻풀이에 알맞은 낱말을 보기에서 찾아 쓰세요.**

보기 우중충하다 움찔하다 움켜쥐다 일구다

1 논밭을 만들기 위하여 땅을 파서 일으키다. (　　　　)

2 오래되거나 바래서 색깔이 선명하지 못하다. (　　　　)

3 일이나 물건을 수중에 넣고 마음대로 다루다. (　　　　)

4-5 **다음 낱말의 뜻풀이에 알맞은 말을 골라 ○표를 하세요.**

4 우두머리 어떤 일이나 단체에서 (버금, 으뜸)인 사람.

5 을러메다 위협적인 언동으로 (울려서, 을러서) 남을 억누르다.

6-8 **다음 낱말이 들어갈 문장을 찾아 바르게 선으로 이으세요.**

6 우중충한 • • ㉠ 혜수는 오늘 하루 종일 (　　　　) 표정을 하고 있다.

7 움찔하며 • • ㉡ 비가 오자 나는 책가방을 (　　　　) 채 달리기 시작했다.

8 움켜쥔 • • ㉢ 큰 천둥소리에 놀란 고양이는 (　　　　) 뒷걸음질 쳤다.

9 **보기의 밑줄 친 낱말과 바꾸어 쓸 수 있는 낱말은 무엇인가요?**

보기 내 동생은 이듬해에 초등학생이 된다.

① 금년 ② 내년 ③ 매년 ④ 작년

걸린 시간 (　　) 분 맞은 개수 (　　) 개

심화 어휘 - 헷갈리기 쉬운 낱말

전채
前 앞 전 | 菜 나물 채

서양 요리에서, 식욕을 돋우기 위하여 식사 전에 나오는 간단한 요리.

예 이 식당의 **전채** 요리는 맛도 있지만 모양도 예쁘다.

전체
全 온전할 전 | 體 몸 체

낱낱 또는 부분이 모여 하나의 덩어리를 이루었을 때 그 온 덩어리.

예 한쪽 창문만 열었는데 교실 **전체**가 추워졌다.

짓다

재료를 들여 밥, 옷, 집 등을 만들다.

예 이 집은 벽돌로 **지은** 집이다.

짖다

개가 목청으로 소리를 내다.

예 개는 낯선 사람을 보고 **짖기** 시작했다.

찢다

물체를 잡아당기어 가르다.

예 나는 공책 한 장을 **찢어** 거기에 필요한 물건들을 적었다.

찧다

곡식 등을 쓿거나 빻으려고 절구에 담고 공이로 내리치다.

예 절구에 담긴 깨를 **찧자** 고소한 냄새가 났다.

어휘 쏙 **쓿다** 거친 쌀, 조, 수수 등의 곡식을 찧어 속꺼풀을 벗기고 깨끗하게 하다.

확인 학습

1-3 **다음 낱말과 그 뜻풀이를 바르게 선으로 이으세요.**

1 짓다 •　　• ㉠ 물체를 잡아당기어 가르다.

2 찢다 •　　• ㉡ 재료를 들여 밥, 옷, 집 등을 만들다.

3 찧다 •　　• ㉢ 곡식 등을 쓿거나 빻으려고 절구에 담고 공이로 내리치다.

4-6 **빈칸에 들어갈 알맞은 낱말을 보기에서 찾아 쓰세요.**

보기: 전채　전체　짓기　짖기　찢기

4 홍수가 나면서 마을 (　　　)가 물에 잠겼다.

5 아기는 눈앞에 놓인 신문지를 (　　　) 시작했다.

6 주인이 오자 개들은 꼬리를 흔들고 (　　　)도 하며 주인을 반겼다.

7-8 **다음 문장에 알맞은 낱말을 골라 ○표를 하세요.**

7 (전채, 전체) 요리로 익힌 채소가 나왔다.

8 어머니가 설빔으로 치마를 (지어, 짖어) 주셨다.

9-10 **다음 글에서 잘못된 부분을 찾아 바르게 고쳐 쓰세요.**

모처럼 휴일을 맞아 늦게까지 잘 생각이었는데 이른 아침부터 시끄러운 소리가 들렸다. 윗집에서 절구로 무엇을 찢는지 쿵쿵 소리가 들렸다. 창밖에서는 개 짓는 소리가 들려왔다. 나는 얼굴을 찌푸리며 귀를 막았다.

9 (　　　) → (　　　)

10 (　　　) → (　　　)

걸린 시간 　분　　맞은 개수 　개

20회

공부한 날 ( )월 ( )일

교과 어휘 - 한자어

사회

진출
進 나아갈 진 | 出 날 출

어떤 방면으로 활동 범위나 세력을 넓혀 나아감.

예 내 꿈은 연예계에 **진출**하는 것이다.

어휘 쏙 세력 권력이나 기세의 힘.

반의어 철수 진출하였던 곳에서 시설이나 장비 등을 거두어 가지고 물러남.

국어

차단
遮 가릴 차 | 斷 끊을 단

① 액체나 기체 등의 흐름 또는 통로를 막거나 끊어서 통하지 못하게 함.

예 모자를 써서 얼굴에 내리쬐는 햇빛을 **차단**했다.

② 다른 것과의 관계나 접촉을 막거나 끊음.

예 그 소설가는 글을 쓸 때면 다른 사람들과의 만남을 **차단**하고 집에서만 지낸다.

어휘 쏙 접촉 ① 서로 맞닿음. ② 가까이 대하고 사귐.

국어

착각
錯 어긋날 착 | 覺 깨달을 각

어떤 사물이나 사실을 실제와 다르게 알거나 생각함.

예 나는 세영 언니를 처음 봤을 때 나보다 어리다고 **착각**했다.

유의어 혼동 구별하지 못하고 뒤섞어서 생각함.

과학

착륙
着 붙을 착 | 陸 뭍 륙

비행기 등이 공중에서 활주로나 판판한 곳에 내림.

예 날씨가 나빴지만 비행기는 무사히 **착륙**했다.

반의어 이륙 비행기 등이 날기 위하여 땅에서 떠오름.

국어

참견
參 참여할 참 | 見 볼 견

자기와 별로 관계없는 일이나 말 등에 끼어들어 쓸데없이 아는 체하거나 이래라저래라 함.

예 나는 재석이에게 **참견** 좀 그만하라고 소리를 질렀다.

유의어 개입 자신과 직접적인 관계가 없는 일에 끼어듦.

반의어 방관 어떤 일에 직접 나서서 관여하지 않고 곁에서 보기만 함.

사회

창의
創 비롯할 창 | 意 뜻 의

새로운 의견을 생각하여 냄. 또는 그 의견.

예 이 발명품은 만든 사람의 **창의**가 돋보이는 물건이다.

국어

처방
處 곳 처 | 方 모 방

병을 치료하기 위하여 증상에 따라 약을 짓는 방법.

예 의사는 환자의 말을 듣고 **처방**을 내렸다.

확인 학습

1-3 **다음 낱말과 그 뜻풀이를 바르게 선으로 이으세요.**

1 차단 •　　• ㉠ 다른 것과의 관계나 접촉을 막거나 끊음.

2 착각 •　　• ㉡ 병을 치료하기 위하여 증상에 따라 약을 짓는 방법.

3 처방 •　　• ㉢ 어떤 사물이나 사실을 실제와 다르게 알거나 생각함.

4-6 **다음 밑줄 친 낱말과 뜻이 반대인 낱말을 찾아 바르게 선으로 이으세요.**

4 그 회사에서 만든 물건은 해외로도 <u>진출</u>했다. •　　• ㉠ 방관

5 아폴로 11호는 세계 최초로 달 <u>착륙</u>에 성공했다. •　　• ㉡ 이륙

6 지은이의 계속되는 <u>참견</u>에 점점 피곤함을 느꼈다. •　　• ㉢ 철수

7-9 **빈칸에 들어갈 알맞은 낱말을 보기에서 찾아 쓰세요.**

보기				
	차단	참견	창의	처방

7 방충망을 설치해서 벌레가 들어오는 것을 (　　　)했다.

8 의사 선생님의 (　　　)에 따라 약국에 가서 해열제를 지어 먹었다.

9 선생님은 우리가 (　　　)을/를 살릴 수 있도록 색종이로 무엇이든 만들어 보라고 하셨다.

10 **보기의 밑줄 친 낱말과 바꾸어 쓸 수 있는 낱말은 무엇인가요?**

보기: 나는 꿈속에서 겪은 일을 실제로 겪은 일로 <u>착각</u>했다.

① 개선　② 개입　③ 혼동　④ 혼탁

걸린 시간 　　분　　맞은 개수 　　개

공부한 날 ( )월 ( )일

교과 어휘 - 고유어

국어 □ □

일으키다

① 일어나게 하다.

예 나는 넘어진 주영이를 양쪽 팔을 잡아끌며 일으켰다.

② 어떤 사태나 일을 벌이거나 터뜨리다.

예 일본은 1592년 조선에 쳐들어와 전쟁을 일으켰다.

국어 □ □

잡아당기다

잡아서 자기 있는 쪽으로 끌어당기다.

예 나는 은행 문을 잡아당겼다.

유의어 견인하다 끌어서 당기다.

국어 □ □

저지르다

죄를 짓거나 잘못이 생겨나게 행동하다.

예 돌쇠는 마을 여기저기에서 말썽을 저지르고 다녔다.

사회 □ □

제값

물건의 가치에 맞는 가격.

예 과일 장수는 제값을 받아야겠다며 사과 값을 깎아 주지 않았다.

어휘 쏙 가치 사물이 지니고 있는 쓸모.

국어 □ □

젠체하다

잘난 체하다.

예 새 옷을 입은 규현이가 젠체하며 지나간다.

유의어 뽐내다 ① 의기가 양양하여 우쭐거리다. ② 자신의 어떠한 능력을 보라는 듯이 자랑하다.

국어 □ □

주춧돌

기둥 밑에 기초로 받쳐 놓은 돌.

예 일꾼들이 땅에 주춧돌을 박았다.

유의어 모퉁잇돌 기둥 밑에 기초로 받쳐 놓은 돌.

국어 □ □

지저분하다

① 정돈이 되어 있지 아니하고 어수선하다.

예 공원은 사람들이 버린 쓰레기로 지저분했다.

② 보기 싫게 더럽다.

예 비를 맞은 고양이의 털이 지저분했다.

유의어 너저분하다 ① 질서가 없이 마구 널려 있어 어지럽고 깨끗하지 않다. ② 말이 쓸데없이 복잡하고 길다.

확인 학습

1-3 **다음 뜻풀이에 알맞은 낱말을 보기 에서 찾아 쓰세요.**

보기 일으키다 저지르다 젠체하다 지저분하다

1 잘난 체하다. ( )

2 보기 싫게 더럽다. ( )

3 어떤 사태나 일을 벌이거나 터뜨리다. ( )

4-5 **다음 낱말의 뜻풀이에 알맞은 말을 골라 ○표를 하세요.**

4 제값 물건의 (가치, 덩치)에 맞는 가격.

5 주춧돌 (기둥, 마루) 밑에 기초로 받쳐 놓은 돌.

6-8 **다음 낱말이 들어갈 문장을 찾아 바르게 선으로 이으세요.**

6 일으켜 • • ㉠ 그는 도둑질을 ( ) 경찰에 붙잡혔다.

7 잡아당겨 • • ㉡ 나는 침대에서 몸을 ( ) 거실로 향했다.

8 저질러 • • ㉢ 나는 집에 가자며 언니의 손을 ( ) 보았다.

9 **보기 의 밑줄 친 낱말과 바꾸어 쓸 수 있는 낱말은 무엇인가요?**

보기 나는 <u>지저분한</u> 방을 조금씩 정리해 나갔다.

① 가뜬한 ② 너저분한 ③ 상쾌한 ④ 지루한

걸린 시간 분 맞은 개수 개

심화 어휘 - 주제별 한자 성어

★ 아주 무식함

목불식정
目 눈 목 | 不 아닐 불 | 識 알 식 | 丁 고무래 정

아주 간단한 글자인 '丁' 자를 보고도 그것이 '고무래'인 줄을 알지 못한다는 뜻으로, 아주 까막눈임을 이르는 말.

예 학교에 다녀 본 적이 없다는 그 아이는 **목불식정**이었다.

어휘 쏙 까막눈 글을 읽을 줄 모르는 무식한 사람의 눈.

무지몽매
無 없을 무 | 知 알 지 | 蒙 어두울 몽 | 昧 어두울 매

아는 것이 없고 사리에 어두움.

예 나는 **무지몽매**에서 벗어나기 위해 끊임없이 책을 읽었다.

어휘 쏙 사리 일의 이치.

어로불변
魚 물고기 어 | 魯 노나라 로 | 不 아닐 불 | 辨 분별할 변

어(魚) 자와 노(魯) 자를 구별하지 못한다는 뜻으로, 아주 무식함을 이르는 말.

예 돌쇠는 **어로불변**이었지만 예의가 바른 사람이었다.

일자무식
一 한 일 | 字 글자 자 | 無 없을 무 | 識 알 식

어떤 분야에 대하여 아는 바가 하나도 없음을 이르는 말.

예 나는 컴퓨터에는 **일자무식**이야.

★ 한탄과 안타까움

만시지탄
晩 늦을 만 | 時 때 시 | 之 어조사 지 | 歎 탄식할 탄

시기에 늦어 기회를 놓쳤음을 안타까워하는 탄식.

예 일기장을 버리지 말았어야 했다고 후회했지만 **만시지탄**일 뿐이었다.

맥수지탄
麥 보리 맥 | 秀 빼어날 수 | 之 어조사 지 | 嘆 탄식할 탄

고국의 멸망을 한탄함을 이르는 말.

예 조지훈이 쓴 〈동물원의 오후〉는 **맥수지탄**을 노래한 시이다.

어휘 쏙 고국 조상 적부터 살아온 자기 나라.

확인 학습

▶ 정답 32쪽

1-3 다음 한자 성어와 그 뜻풀이를 바르게 선으로 이으세요.

1 맥수지탄 •　　• ㉠ 아는 것이 없고 사리에 어두움.

2 무지몽매 •　　• ㉡ 고국의 멸망을 한탄함을 이르는 말.

3 일자무식 •　　• ㉢ 어떤 분야에 대하여 아는 바가 하나도 없음을 이르는 말.

4-5 다음 한자 성어의 뜻풀이에 알맞은 말을 골라 ○표를 하세요.

4 만시지탄 　시기에 늦어 (기억, 기회)을/를 놓쳤음을 안타까워하는 탄식.

5 어로불변 　어(魚) 자와 노(魯) 자를 (구별, 구성)하지 못한다는 뜻으로, 아주 무식함을 이르는 말.

6-8 빈칸에 들어갈 알맞은 한자 성어를 보기 에서 찾아 쓰세요.

보기			
만시지탄	맥수지탄	목불식정	일자무식

6 나는 피아노는 잘 치지만 바이올린에는 (　　　　)이다.

7 그는 이미 다른 나라로 변해 버린 곳에서 (　　　　)의 눈물을 흘렸다.

8 먹쇠는 '가나다'도 쓸 줄 모르는 (　　　　)이었지만 며칠 만에 한글을 익혔다.

9 다음 밑줄 친 상황을 표현하기에 알맞은 한자 성어는 무엇인가요?

> 오늘은 현장 체험 학습을 가는 날이다. 선생님과 우리 반 친구들은 모두 약속 장소에 열 시까지 모이기로 했다. 그런데 늦잠을 자는 바람에 버스를 놓치고 말았다. 나는 '조금만 더 일찍 일어날걸.' 하고 후회했지만 버스는 이미 보이지 않을 만큼 멀리 가고 없었다.

① 만시지탄　② 맥수지탄　③ 목불식정　④ 무지몽매　⑤ 어로불변

걸린 시간　　　분　　맞은 개수　　　개

21회

공부한 날 ( )월 ( )일

교과 어휘 - 한자어

국어 □□

초조
焦 탈 초 | 燥 마를 조

애가 타서 마음이 조마조마함.

예 나는 불안과 **초조**로 가슴이 울렁거렸다.

국어 □□

최소화
最 가장 최 | 少 적을 소 | 化 될 화

가장 적게 함.

예 나무를 많이 심으면 산사태 피해를 **최소화**할 수 있다.

과학 □□

최첨단
最 가장 최 | 尖 뾰족할 첨 | 端 끝 단

시대나 유행의 맨 앞.

예 이 휴대 전화는 유행의 **최첨단**을 달리고 있다.

사회 □□

축제
祝 빌 축 | 祭 제사 제

축하하여 벌이는 큰 규모의 행사.

예 내일 학교가 처음 세워진 날을 기념하는 **축제**가 열린다.

어휘 쏙 규모 사물이나 현상의 크기나 범위.

사회 □□

취업
就 나아갈 취 | 業 업 업

일정한 직업을 잡아 직장에 나감.

예 나는 영어 학원에 **취업**이 되었다.

반의어 실업 직업을 잃음.

국어 □□

타협
妥 온당할 타 | 協 화합할 협

어떤 일을 서로 양보하여 협의함.

예 이 문제는 **타협**할 수 없는 문제이다.

어휘 쏙 협의 둘 이상의 사람이 서로 협력하여 의논함.

유의어 타결 의견이 대립된 양편에서 서로 양보하여 일을 마무름.

국어 □□

탐사
探 찾을 탐 | 査 조사할 사

알려지지 않은 사물이나 사실 등을 샅샅이 더듬어 조사함.

예 깊은 바다 속을 **탐사**할 수 있는 로봇이 개발되었다.

유의어 탐험 위험을 무릅쓰고 어떤 곳을 찾아가서 살펴보고 조사함.

확인 학습

▶ 정답 33쪽

1-3 **다음 낱말과 그 뜻풀이를 바르게 선으로 이으세요.**

1 최소화 • • ㉠ 가장 적게 함.

2 축제 • • ㉡ 어떤 일을 서로 양보하여 협의함.

3 타협 • • ㉢ 축하하여 벌이는 큰 규모의 행사.

4-5 **다음 낱말의 뜻풀이에 알맞은 말을 골라 ○표를 하세요.**

4 취업 일정한 (상업, 직업)을 잡아 직장에 나감.

5 탐사 알려지지 않은 사물이나 사실 등을 샅샅이 더듬어 (조각, 조사)함.

6-8 **빈칸에 들어갈 알맞은 낱말을 보기에서 찾아 쓰세요.**

보기: 초조 최첨단 축제 탐사

6 성민이는 (   )할 때면 손톱을 물어뜯는 버릇이 있다.

7 우리 병원에서는 (   ) 장비로 치료를 받으실 수 있습니다.

8 해마다 열리는 보령 머드 (   )은/는 전 세계적으로 유명하다.

9 **보기의 밑줄 친 낱말과 뜻이 반대인 낱말은 무엇인가요?**

보기: 게임 회사에 취업하고 싶어 하는 사람들이 늘고 있다.

① 농업 ② 실업 ③ 졸업 ④ 창업

걸린 시간 (   ) 분 맞은 개수 (   ) 개

교과 어휘 - 다의어

식다

① 더운 기가 없어지다.
예 녹차가 마시기 좋을 만큼 **식었다**.
② 어떤 일에 대한 열의나 생각 등이 줄거나 가라앉다.
예 문제가 너무 어려워서 수학 공부를 하려는 열정이 **식었다**.
③ 땀이 마르거나 더 흐르지 아니하게 되다.
예 의자에 앉아서 땀 좀 **식히고** 가자.

읽다

① 글이나 글자를 보고 그 음대로 소리 내어 말로써 나타내다.
예 오늘은 유빈이가 국어책을 **읽어** 보자.
② 글을 보고 거기에 담긴 뜻을 헤아려 알다.
예 어머니가 학교에서 보낸 가정 통신문을 **읽으신다**.
③ 사람의 표정이나 행위 등을 보고 뜻이나 마음을 알아차리다.
예 선영이는 사람들의 표정으로 그 사람의 생각을 잘 **읽는다**.

교과 어휘 - 동음이의어

지우다[1]

쓴 글씨나 그린 그림, 흔적 등을 지우개나 천 등으로 보이지 않게 없애다.
예 걸레로 마룻바닥의 얼룩을 **지웠다**.

지우다[2]

책임이나 의무를 맡게 하다.
예 그 사람은 나에게만 책임을 **지우고** 얌체처럼 도망갔다.

치다[1]

손이나 손에 든 물건으로 세게 부딪게 하다.
예 실수로 마주 오는 사람의 어깨를 **쳤다**.

치다[2]

어떠한 상태라고 인정하거나 사실인 듯 받아들이다.
예 그래, 내가 잘못했다고 **치자**.

확인 학습

1-2 **밑줄 친 낱말의 뜻으로 알맞은 것의 기호를 쓰세요.**

1 선생님, 이 영어 낱말은 어떻게 읽어요? ( )

㉠ 글이나 글자를 보고 그 음대로 소리 내어 말로써 나타내다.

㉡ 사람의 표정이나 행위 등을 보고 뜻이나 마음을 알아차리다.

2 내가 친 공이 선을 넘지 못하고 상대편에게 잡혔다. ( )

㉠ 손이나 손에 든 물건으로 세게 부딪게 하다.

㉡ 어떠한 상태라고 인정하거나 사실인 듯 받아들이다.

3-5 **다음 밑줄 친 낱말의 뜻풀이를 찾아 바르게 선으로 이으세요.**

3 그늘에 들어가니 땀이 금세 식었다. • • ㉠ 더운 기가 없어지다.

4 잠깐 전화를 받고 온 사이 국이 다 식어 있었다. • • ㉡ 땀이 마르거나 더 흐르지 아니하게 되다.

5 연락이 뜸한 것을 보니 나를 향한 애정이 식었구나? • • ㉢ 어떤 일에 대한 열의나 생각 등이 줄거나 가라앉다.

6-7 **빈칸에 들어갈 알맞은 낱말을 보기에서 찾아 쓰세요.**

보기: 식는다 읽는다 지운다 친다

6 그는 매일 아침 인터넷으로 뉴스 기사를 ( ).

7 나는 모차르트의 작품을 최고의 작품으로 ( ).

8-9 **다음 뜻풀이에 알맞은 낱말을 보기에서 찾아 기호를 쓰세요.**

보기
어머니: 내일까지 책상에 한 낙서를 전부 ㉠지워 놓으렴.
하나: 낙서는 동생이 했는데 제게 책임을 ㉡지우시다니 너무하세요.

8 책임이나 의무를 맡게 하다. ( )

9 쓴 글씨나 그린 그림, 흔적 등을 지우개나 천 등으로 보이지 않게 없애다. ( )

걸린 시간 분 맞은 개수 개

 공부한 날 ( )월 ( )일

심화 어휘 - 주제별 속담

★ 핑계와 남 탓하기

가랑잎이 솔잎더러 바스락거린다고 한다

자기의 허물은 생각하지 않고 도리어 남의 허물만 나무라는 경우를 이르는 말.

예 가랑잎이 솔잎더러 바스락거린다고 한다더니 같이 떠들어 놓고 나에게만 조용히 하라고 한다.

어휘 쏙 허물 잘못 저지른 실수.

똥 묻은 개가 겨 묻은 개 나무란다

자기는 더 큰 흉이 있으면서 도리어 남의 작은 흉을 본다는 말.

예 똥 묻은 개가 겨 묻은 개 나무란다더니 약속 시간에 매일 늦는 지영이가 처음 늦은 나를 보고 화를 낸다.

핑계 없는 무덤이 없다

아무리 큰 잘못을 저지른 사람도 그것을 변명하고 이유를 붙일 수 있다는 말.

예 핑계 없는 무덤이 없다더니 도둑질을 하고도 친구가 먼저 꼬였다고 변명을 한다.

심화 어휘 - 주제별 관용어

★ 발과 관련된 관용어

발을 구르다

매우 안타까워하거나 다급해하다.

예 나는 길가를 돌아다니는 강아지가 차에 치일까 봐 발을 굴렀다.

발을 끊다

오가지 않거나 관계를 끊다.

예 용돈을 모으기 위해 한동안 떡볶이 가게에 발을 끊었다.

발이 넓다

사귀어 아는 사람이 많아 활동하는 범위가 넓다.

예 여울이는 발이 넓어서 학교에 모르는 사람이 없다.

확인 학습

1-3 **다음 관용어와 그 뜻풀이를 바르게 선으로 이으세요.**

1 발을 구르다 • • ㉠ 오가지 않거나 관계를 끊다.

2 발을 끊다 • • ㉡ 매우 안타까워하거나 다급해하다.

3 발이 넓다 • • ㉢ 사귀어 아는 사람이 많아 활동하는 범위가 넓다.

4-5 **다음 뜻풀이에 알맞은 속담을 보기에서 찾아 기호를 쓰세요.**

보기
㉠ 핑계 없는 무덤이 없다
㉡ 똥 묻은 개가 겨 묻은 개 나무란다
㉢ 가랑잎이 솔잎더러 바스락거린다고 한다

4 자기는 더 큰 흉이 있으면서 도리어 남의 작은 흉을 본다는 말. ( )

5 아무리 큰 잘못을 저지른 사람도 그것을 변명하고 이유를 붙일 수 있다는 말. ( )

6-7 **빈칸에 들어갈 알맞은 낱말을 보기에서 찾아 쓰세요.**

보기 감잎 솔잎 핑계 허물

6 ( ) 없는 무덤이 없다고 너는 매일 숙제를 안 해 놓고 매일 일이 있었다고 변명하는구나.

7 가랑잎이 ( )더러 바스락거린다고 한다더니 자기도 키가 작으면서 날 보고 키가 작다고 놀리는구나.

8 **다음 상황에 알맞은 관용어를 골라 ○표를 하세요.**

송이와 함께 운동장으로 나가는 길이었다. 송이가 발을 헛디뎌서 계단에서 넘어졌다. 송이의 팔꿈치와 무릎에서 피가 났다. 나는 그 모습을 보고 발을 (굴렀다, 끊었다). 그때 지민이가 나와 송이를 발견했다. 발이 (넓은, 맞는) 지민이는 금세 친구들을 모아서 송이를 부축하고 보건실에 갔다. 지민이를 만나서 정말 다행이었다.

걸린 시간 분 맞은 개수 개

교과 어휘 - 한자어

사회 □ □

통신
通 통할 통 | 信 믿을 신

우편이나 전신, 전화 등으로 정보나 의사를 전달함.

예 산속이라 **통신** 상태가 좋지 않다.

어휘 쏙 전신 문자나 숫자를 전기 신호로 바꾸어 전파나 전류로 보내는 통신.

국어 □ □

특산물
特 특별할 특 | 産 낳을 산 | 物 물건 물

어떤 지역의 특별한 산물.

예 한라봉은 제주도의 **특산물**이다.

어휘 쏙 산물 일정한 곳에서 만들어져 나오는 물건.

유의어 명물 ① 어떤 지방의 이름난 사물. ② 한 지방의 특산물.

국어 □ □

파괴
破 깨뜨릴 파 | 壞 무너질 괴

① 때려 부수거나 깨뜨려 헐어 버림.

예 이번 지진은 도로를 완전히 **파괴**해 버렸다.

② 조직, 질서, 관계 등을 흩어지게 하거나 무너뜨림.

예 쓰레기를 함부로 버리면 생태계가 **파괴**된다.

사회 □ □

평가
評 평할 평 | 價 값 가

사물의 가치나 수준 등을 평함. 또는 그 가치나 수준.

예 나는 그가 좋은 사람이라고 **평가**를 내렸다.

유의어 평 좋고 나쁨, 잘하고 못함, 옳고 그름 등을 평가함. 또는 그런 말.

과학 □ □

평균
平 평평할 평 | 均 고를 균

여러 사물의 질이나 양 등을 통일적으로 고르게 한 것.

예 올해 1월의 **평균** 기온은 섭씨 2.8도이다.

국어 □ □

포구
浦 개 포 | 口 입 구

배가 드나드는 개의 어귀.

예 고기를 가득 실은 배가 **포구**로 들어왔다.

어휘 쏙 개 강이나 내에 바닷물이 드나드는 곳.

유의어 항구 배가 안전하게 드나들도록 강가나 바닷가에 부두 등을 설비한 곳.

국어 □ □

표류
漂 떠다닐 표 | 流 흐를 류

① 물 위에 떠서 정한 곳 없이 흘러감.

예 먼 바다에서 **표류**하는 배 한 척을 발견했다.

② 정한 곳 없이 돌아다님.

예 며칠째 집을 잃은 개 한 마리가 **표류**하고 있었다.

반의어 정착 일정한 곳에 자리를 잡아 붙박이로 있거나 머물러 삶.

확인 학습

1-3 다음 낱말과 그 뜻풀이를 바르게 선으로 이으세요.

1 통신 •　　• ㉠ 때려 부수거나 깨뜨려 헐어 버림.

2 파괴 •　　• ㉡ 물 위에 떠서 정한 곳 없이 흘러감.

3 표류 •　　• ㉢ 우편이나 전신, 전화 등으로 정보나 의사를 전달함.

4-5 다음 낱말의 뜻풀이에 알맞은 말을 골라 ○표를 하세요.

4 포구 (배, 차)가 드나드는 개의 어귀.

5 평균 여러 사물의 질이나 양 등을 통일적으로 (납작하게, 고르게) 한 것.

6-8 빈칸에 들어갈 알맞은 낱말을 보기에서 찾아 쓰세요.

보기
특산물　　파괴　　평가　　평균

6 오징어는 울릉도의 (　　　　)이다.

7 나쁜 습관이 건강을 (　　　　)할 수 있다.

8 나는 과학 실력이 우수하다는 (　　　　)을/를 받았다.

9 보기의 밑줄 친 낱말과 뜻이 반대인 낱말은 무엇인가요?

보기
한국을 떠나온 그는 여러 나라를 표류했다.

① 명물　　② 정착　　③ 평　　④ 항구

걸린 시간 (　　) 분　　맞은 개수 (　　) 개

공부한 날 ( )월 ( )일

교과 어휘 - 고유어

국어 □ □

쪼개다

① 둘 이상으로 나누다.

예 도끼로 나무를 **쪼갰다.**

② 시간이나 돈 등을 아끼다.

예 나는 밥 먹을 시간을 **쪼개며** 공부를 했다.

유의어 빼개다 크고 딴딴한 물건을 두 쪽으로 가르다.

국어 □ □

쫓겨나다

어떤 장소나 자리에서 내쫓김을 당하다.

예 그들은 시끄럽게 떠들다 영화관에서 **쫓겨났다.**

국어 □ □

철퍼덕

① 옅은 물이나 진창을 거칠게 밟거나 치는 소리. 또는 그 모양.

예 장화를 신은 발로 웅덩이를 **철퍼덕** 밟았다.

② 힘없이 넘어지거나 주저앉는 소리. 또는 그 모양.

예 아기가 마룻바닥에 **철퍼덕** 주저앉았다.

어휘 쏙 진창 땅이 질어서 질퍽질퍽하게 된 곳.

국어 □ □

청승맞다

궁상스럽고 처량하여 보기에 몹시 언짢다.

예 그는 빗속에서 **청승맞게** 울었다.

어휘 쏙 처량하다 ① 마음이 구슬퍼질 정도로 외롭거나 쓸쓸하다. ② 초라하고 가엾다.

사회 □ □

탓하다

핑계나 구실로 삼아 나무라거나 원망하다.

예 그는 달리기에서 진 후 낡은 신발을 **탓했다.**

어휘 쏙 구실 핑계를 삼을 만한 재료.

유의어 타내다 남의 잘못이나 결함을 드러내어 탓하다.

국어 □ □

통틀다

있는 대로 모두 한데 묶다.

예 다리가 둘이고 몸에 깃털이 난 짐승을 **통틀어** 새라고 한다.

국어 □ □

파르스름하다

조금 파랗다.

예 돌에 **파르스름하게** 이끼가 꼈다.

확인 학습

1-3 **다음 뜻풀이에 알맞은 낱말을 보기에서 찾아 쓰세요.**

보기 쪼개다 청승맞다 통틀다 파르스름하다

1 둘 이상으로 나누다. (　　　)

2 있는 대로 모두 한데 묶다. (　　　)

3 궁상스럽고 처량하여 보기에 몹시 언짢다. (　　　)

4-5 **다음 낱말의 뜻풀이에 알맞은 말을 골라 ○표를 하세요.**

4 탓하다 핑계나 (구색, 구실)(으)로 삼아 나무라거나 원망하다.

5 철퍼덕 옅은 물이나 진창을 거칠게 (밟거나, 파거나) 치는 소리. 또는 그 모양.

6-8 **다음 낱말이 들어갈 문장을 찾아 바르게 선으로 이으세요.**

6 쪼개 • • ㉠ 봄이 되자 뒷동산에 (　　　) 잔디가 돋았다.

7 쫓겨나 • • ㉡ 그는 마을에서 (　　　) 이곳저곳을 떠돌아 다녔다.

8 파르스름하게 • • ㉢ 그 배우는 잘 시간을 (　　　) 가며 연극에서 할 대사를 외웠다.

9 **보기의 밑줄 친 낱말과 바꾸어 쓸 수 있는 낱말은 무엇인가요?**

보기 실수한 사람을 <u>탓하지</u> 말고 다 같이 열심히 하자.

① 권하지 ② 꺼내지 ③ 말하지 ④ 타내지

걸린 시간 (　　) 분 맞은 개수 (　　) 개

심화 어휘 - 헷갈리기 쉬운 낱말

채

이미 있는 상태 그대로 있다는 뜻을 나타내는 말.

예 나는 너무 피곤해서 소파에 앉은 **채**로 잠이 들었다.

체

그럴듯하게 꾸미는 거짓 태도나 모양.

예 문제의 답을 모르면서 아는 **체**를 했다가 망신을 당했다.

캐다

땅속에 묻힌 광물이나 식물 등의 자연 생산물을 파서 꺼내다.

예 밭에서 고구마를 캤다.

켜다

① 등잔이나 양초 등에 불을 붙이거나 성냥이나 라이터 등에 불을 일으키다.

예 촛불에 불을 붙이기 위해 성냥을 켰다.

② 전기를 통하게 하여, 전기 제품 등을 작동하게 만들다.

예 집에 오자마자 형광등을 켰다.

틀리다

셈이나 사실 등이 그르게 되거나 어긋나다.

예 오늘은 비가 온다더니 일기 예보가 **틀렸다**.

다르다

① 비교가 되는 두 대상이 서로 같지 아니하다.

예 둘은 쌍둥이지만 성격이 서로 **다르다**.

② 보통의 것보다 두드러진 데가 있다.

예 정상까지 단숨에 뛰어 올라가다니, 역시 운동선수는 **다르다**.

확인 학습

1-3 **다음 낱말과 그 뜻풀이를 바르게 선으로 이으세요.**

1 다르다 • • ㉠ 보통의 것보다 두드러진 데가 있다.

2 켜다 • • ㉡ 셈이나 사실 등이 그르게 되거나 어긋나다.

3 틀리다 • • ㉢ 전기를 통하게 하여, 전기 제품 등을 작동하게 만들다.

4-6 **빈칸에 들어갈 알맞은 낱말을 보기에서 찾아 쓰세요.**

보기: 달라　채　체　캐　켜

4 가족들과 갯벌에서 조개를 (　　　) 먹었다.

5 마을 전체가 정전된 것 같으니 촛불을 (　　　) 보자.

6 수현이는 나와 싸운 뒤 내 말을 들은 (　　　)도 하지 않았다.

7-8 **다음 문장에 알맞은 낱말을 골라 ○표를 하세요.**

7 청설모와 다람쥐는 (다르게, 틀리게) 생겼다.

8 그는 몸은 그대로 둔 (채, 체) 고개만 돌려 바깥을 내다봤다.

9-10 **다음 글에서 잘못된 부분을 찾아 바르게 고쳐 쓰세요.**

오늘은 학교 뒷산에서 과학 수업을 했다. 여러 가지 꽃과 나무도 구경하고 나물을 켜기도 했다. 산속을 걷다 보니 잎이 넓적하게 생긴 풀이 눈에 띄었다. 내 짝꿍은 그 풀의 이름이 곰취라며 아는 채를 했다. 하지만 과학 선생님은 내 짝꿍의 말이 틀리다고 하셨다.

9 (　　　) → (　　　)

10 (　　　) → (　　　)

걸린 시간 　　 분　맞은 개수 　　 개

23회

공부한 날 ( )월 ( )일

교과 어휘 - 한자어

사회

표지
標 표할 표 | 識 적을 지

표시나 특징으로 어떤 사물을 다른 것과 구별하게 함. 또는 그 표시나 특징.

예 지하철역 앞에 금연을 알리는 **표지**가 붙어 있다.

국어

품질
品 물건 품 | 質 바탕 질

물건의 성질과 바탕.

예 이 회사의 물건은 **품질**이 좋기로 유명하다.

사회

풍속
風 바람 풍 | 俗 풍속 속

① 옛날부터 그 사회에 전해 오는 생활 전반에 걸친 습관 등을 이르는 말.

예 우리나라에는 힘든 일을 서로 도와주는 '품앗이' **풍속**이 있다.

② 그 시대의 유행과 습관 등을 이르는 말.

예 통신이 발달하면서 집에서 일을 하고 수업을 듣는 **풍속**이 생겼다.

유의어 습속 습관이 된 풍속.

국어

필체
筆 붓 필 | 體 몸 체

글씨를 써 놓은 모양.

예 나는 **필체**만 보고도 우리 아버지가 쓴 글씨를 가려낼 수 있다.

유의어 서체 ① 글씨를 써 놓은 모양. ② 붓글씨에서 글씨를 쓰는 일정한 격식이나 양식.

국어

해결
解 풀 해 | 決 결단할 결

내어놓아진 문제를 해명하거나 얽힌 일을 잘 처리함.

예 이 문제는 다른 사람의 도움 없이는 **해결**이 어렵다.

어휘 쏙 해명 까닭이나 내용을 풀어서 밝힘.

국어

해일
海 바다 해 | 溢 넘칠 일

갑자기 바닷물이 크게 일어서 육지로 넘쳐 들어오는 것.

예 지진이 일어난 뒤에는 **해일**을 조심해야 한다.

과학

현상
現 나타날 현 | 象 코끼리 상

인간이 지각할 수 있는, 사물의 모양과 상태.

예 일주일 넘게 열대야 **현상**이 이어지고 있다.

어휘 쏙 지각 알아서 깨달음. 또는 그런 능력.

유의어 상황 일이 되어 가는 과정이나 형편.

확인 학습

▶ 정답 33쪽

1-3 **다음 낱말과 그 뜻풀이를 바르게 선으로 이으세요.**

1 표지 •

2 해결 •

3 현상 •

• ㉠ 인간이 지각할 수 있는, 사물의 모양과 상태.

• ㉡ 내어놓아진 문제를 해명하거나 얽힌 일을 잘 처리함.

• ㉢ 표시나 특징으로 어떤 사물을 다른 것과 구별하게 함. 또는 그 표시나 특징.

4-5 **다음 낱말의 뜻풀이에 알맞은 말을 골라 ○표를 하세요.**

4 해일 갑자기 (강물, 바닷물)이 크게 일어서 육지로 넘쳐 들어오는 것.

5 풍속 옛날부터 그 사회에 전해 오는 생활 전반에 걸친 (명절, 습관) 등을 이르는 말.

6-8 **빈칸에 들어갈 알맞은 낱말을 보기에서 찾아 쓰세요.**

보기 품질 풍속 필체 해일

6 (　　　)을/를 보니 이 글씨는 영훈이가 쓴 것이 아니다.

7 사람의 겉모습만 중요하게 생각하는 (　　　)은/는 사라져야 한다.

8 농부들은 과일의 (　　　)을/를 높이기 위해 나무에 영양제를 주었다.

9 **보기의 밑줄 친 낱말과 바꾸어 쓸 수 있는 낱말은 무엇인가요?**

보기 에어컨을 너무 오래 틀면 지구가 더워지는 현상이 벌어질 수 있다.

① 상상 ② 상황 ③ 습관 ④ 습속

걸린 시간 (　　) 분 맞은 개수 (　　) 개

공부한 날 ( )월 ( )일

교과 어휘 - 고유어

국어

허물다 쌓이거나 짜이거나 지어져 있는 것을 헐어서 무너지게 하다.

예 낡은 집을 **허물고** 새 집을 짓자.

반의어 **쌓다** 여러 개의 물건을 겹겹이 포개어 얹어 놓다.

국어

헤매다 ① 갈 바를 몰라 이리저리 돌아다니다.

예 길을 잃어서 골목을 한 시간 동안이나 **헤맸다.**

② 갈피를 잡지 못하다.

예 나는 숙제를 어떻게 해야 할지 몰라 한참 **헤맸다.**

유의어 **방황하다** ① 이리저리 헤매어 돌아다니다. ② 분명한 방향이나 목표를 정하지 못하고 갈팡질팡하다.

국어

헤치다 ① 속에 든 물건을 드러나게 하려고 덮인 것을 파거나 젖히다.

예 개가 눈 속을 **헤치고** 장난감을 찾아냈다.

② 앞에 걸리는 것을 좌우로 물리치다.

예 나는 수많은 사람들을 **헤치며** 앞으로 나아갔다.

유의어 **헤집다** ① 긁어 파서 뒤집어 흩다. ② 이리저리 젖히거나 뒤적이다.

국어

휘둥그렇다 놀라거나 두려워서 크게 뜬 눈이 둥그렇다.

예 길에서 우연히 나를 만난 친구의 눈이 **휘둥그렇게** 변했다.

국어

흥건하다 물 등이 푹 잠기거나 고일 정도로 많다.

예 밤새 내린 비로 마당이 **흥건하게** 젖었다.

사회

흥정하다 물건을 사거나 팔기 위하여 품질이나 가격 등을 의논하다.

예 채소 가게 아주머니와 어머니가 **흥정하고** 있다.

국어

흩어지다 한데 모였던 것이 따로따로 떨어지거나 사방으로 퍼지다.

예 실수로 콩이 담긴 그릇을 넘어뜨려서 콩이 사방으로 **흩어졌다.**

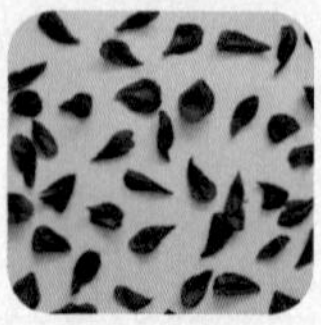

반의어 **모이다** 한데 합쳐지다.

확인 학습

▶ 정답 33쪽

1-3 **다음 뜻풀이에 알맞은 낱말을 보기에서 찾아 쓰세요.**

보기 | 헤매다 | 헤치다 | 휘둥그렇다 | 흩어지다

1 앞에 걸리는 것을 좌우로 물리치다. (   )

2 갈 바를 몰라 이리저리 돌아다니다. (   )

3 한데 모였던 것이 따로따로 떨어지거나 사방으로 퍼지다. (   )

4-5 **다음 낱말의 뜻풀이에 알맞은 말을 골라 ○표를 하세요.**

4 흥건하다 물 등이 푹 (잠그거나, 잠기거나) 고일 정도로 많다.

5 흥정하다 물건을 사거나 팔기 위하여 품질이나 (가격, 모양) 등을 의논하다.

6-8 **다음 낱말이 들어갈 문장을 찾아 바르게 선으로 이으세요.**

6 헤매고 • • ㉠ 화롯불을 (   ) 안에 있는 고구마를 꺼내 먹었다.

7 헤치고 • • ㉡ 한참을 (   ) 나서야 문제의 답이 무엇인지 알 수 있었다.

8 휘둥그렇고 • • ㉢ 천둥소리에 깜짝 놀란 아이의 눈은 (   ) 몸은 벌벌 떨렸다.

9-10 **다음 밑줄 친 낱말과 뜻이 반대인 낱말을 찾아 바르게 선으로 이으세요.**

9 내가 지은 모래성을 파도가 허물었다. • • ㉠ 모였다

10 냄비 뚜껑을 열자 팝콘이 사방으로 흩어졌다. • • ㉡ 쌓았다

걸린 시간 (   ) 분 맞은 개수 (   ) 개

심화 어휘 - 주제별 한자 성어

★ 학문과 독서

격물치지
格 격식 격 | 物 물건 물 | 致 이를 치 | 知 알 지

실제 사물의 이치를 연구하여 지식을 완전하게 함.
예) 그는 책에 나온 것을 그저 외우는 사람이 아니라 격물치지하는 사람이었다.

교학상장
敎 가르칠 교 | 學 배울 학 | 相 서로 상 | 長 길 장

가르치고 배우는 과정에서 스승과 제자가 함께 성장함.
예) 올해 초등학교에 입학한 동생의 숙제를 도와주며 교학상장의 즐거움을 느꼈다.

수불석권
手 손 수 | 不 아닐 불 | 釋 풀 석 | 卷 책 권

손에서 책을 놓지 아니하고 늘 글을 읽음.
예) 세종대왕은 수불석권을 실천한 대표적인 위인이다.

위편삼절
韋 가죽 위 | 編 엮을 편 | 三 석 삼 | 絶 끊을 절

공자가 주역을 즐겨 읽어 책의 가죽끈이 세 번이나 끊어졌다는 뜻으로, 책을 열심히 읽음을 이르는 말.
예) 책을 읽기 좋아하는 나는 위편삼절을 하며 학창 시절을 보냈다.

★ 꿈이나 소망

동상이몽
同 한가지 동 | 床 평상 상 | 異 다를 이 | 夢 꿈 몽

겉으로는 같이 행동하면서도 속으로는 각각 딴생각을 하고 있음을 이르는 말.
예) 동생과 나는 저금통에 함께 모은 돈을 두고 동상이몽을 하고 있다.

일장춘몽
一 한 일 | 場 마당 장 | 春 봄 춘 | 夢 꿈 몽

한바탕의 봄꿈이라는 뜻으로, 헛된 영화나 덧없는 일을 이르는 말.
예) 이번에야말로 보물찾기에서 1등 선물을 찾을 줄 알았는데 일장춘몽을 꾸었구나.
어휘 쏙) 영화 몸이 귀하게 되어 이름이 세상에 빛남.

확인 학습

▶ 정답 33쪽

1-3 **다음 한자 성어와 그 뜻풀이를 바르게 선으로 이으세요.**

1 격물치지 • • ㉠ 손에서 책을 놓지 아니하고 늘 글을 읽음.

2 수불석권 • • ㉡ 실제 사물의 이치를 연구하여 지식을 완전하게 함.

3 일장춘몽 • • ㉢ 한바탕의 봄꿈이라는 뜻으로, 헛된 영화나 덧없는 일을 이르는 말.

4-5 **다음 한자 성어의 뜻풀이에 알맞은 말을 골라 ○표를 하세요.**

4 교학상장 가르치고 배우는 과정에서 스승과 제자가 함께 (성공, 성장)함.

5 동상이몽 겉으로는 같이 행동하면서도 속으로는 각각 (딴생각, 딴소리)을/를 하고 있음을 이르는 말.

6-8 **빈칸에 들어갈 알맞은 한자 성어를 보기에서 찾아 쓰세요.**

보기			
격물치지	동상이몽	위편삼절	일장춘몽

6 (　　　　　)하다 보니 책의 내용을 거의 외울 지경이 되었다.

7 지금은 서로 돕고 있지만 그들은 각자 (　　　　　)을/를 하고 있었다.

8 대회에서 우승하고 유명해지겠다는 내 생각은 (　　　　　)에 지나지 않았다.

9 **다음 밑줄 친 상황을 표현하기에 알맞은 한자 성어는 무엇인가요?**

어느 날 민희가 나에게 수학 문제를 푸는 법을 가르쳐 달라고 했다. 내가 푸는 법을 알려 주고 나니 민희는 그 뒤로도 모르는 문제가 생기면 나를 찾았다. 나는 민희의 질문에 대답하지 못할까 봐 평소보다 공부를 더 열심히 했다. <u>그러면서 민희뿐만 아니라 나도 수학 실력이 느는 느낌이 들었다.</u>

① 교학상장　② 동상이몽　③ 수불석권　④ 위편삼절　⑤ 일장춘몽

걸린 시간 (　　　) 분　맞은 개수 (　　　) 개

24회

공부한 날 ( )월 ( )일

교과 어휘 - 한자어

국어 □ □

협곡
峽 골짜기 협 | 谷 골 곡

험하고 좁은 골짜기.

예 **협곡**을 거슬러 올라가는 동안 여러 가지 나무를 볼 수 있었다.

국어 □ □

협조
協 화합할 협 | 助 도울 조

힘을 보태어 도움.

예 여러분의 **협조**로 축제가 무사히 마무리되었습니다.

유의어 **협력** 힘을 합하여 서로 도움.

사회 □ □

혼잡
混 섞을 혼 | 雜 섞일 잡

여럿이 한데 뒤섞이어 어수선함.

예 빗길에 사고가 나면서 교통 **혼잡**이 빚어졌다.

유의어 **번잡** 번거롭게 뒤섞여 어수선함.

사회 □ □

홍보
弘 클 홍 | 報 알릴 보

널리 알림. 또는 그 소식이나 보도.

예 새로 나온 비누를 **홍보**하는 방송이 흘러나왔다.

국어 □ □

화재
火 불 화 | 災 재앙 재

불이 나는 재앙. 또는 불로 인한 재난.

예 무심결에 버린 담배꽁초가 **화재**를 불러왔다.

어휘 쏙 **재앙** 뜻하지 아니하게 생긴 불행한 사고.

국어 □ □

휴업
休 쉴 휴 | 業 업 업

사업이나 영업, 작업 등을 일시적으로 중단하고 하루 또는 한동안 쉼.

예 저희 가게는 매주 금요일마다 **휴업**입니다.

어휘 쏙 **일시적** 짧은 한때의. 또는 그런 것.

과학 □ □

흔적
痕 흔적 흔 | 迹 자취 적

어떤 현상이나 물체가 없어졌거나 지나간 뒤에 남은 자국이나 자취.

예 집에 동생이 다녀간 **흔적**이 남아 있었다.

어휘 쏙 **자취** 어떤 것이 남긴 표시나 자리.

확인 학습

▼ 정답 33쪽

1-3 **다음 낱말과 그 뜻풀이를 바르게 선으로 이으세요.**

1 협곡 • 　　　　• ㉠ 힘을 보태어 도움.

2 협조 • 　　　　• ㉡ 험하고 좁은 골짜기.

3 화재 • 　　　　• ㉢ 불이 나는 재앙. 또는 불로 인한 재난.

4-5 **다음 낱말의 뜻풀이에 알맞은 말을 골라 ○표를 하세요.**

4 흔적 　어떤 현상이나 물체가 없어졌거나 (지나간, 지워진) 뒤에 남은 자국이나 자취.

5 휴업 　사업이나 영업, 작업 등을 (일반적, 일시적)으로 중단하고 하루 또는 한동안 쉼.

6-8 **빈칸에 들어갈 알맞은 낱말을 보기에서 찾아 쓰세요.**

보기 　혼잡 　홍보 　화재 　흔적

6 이 벨은 (　　　　)이/가 일어나면 저절로 울립니다.

7 태풍이 지나간 (　　　　)이/가 거리 곳곳에 남아 있다.

8 인터넷을 통해 우리 마을의 먹거리를 널리 (　　　　)하자.

9 **보기의 밑줄 친 낱말과 바꾸어 쓸 수 있는 낱말은 무엇인가요?**

보기 　지하철 안이 매우 <u>혼잡</u>하니 타고 내리실 때 조심하십시오.

① 번성 　② 번잡 　③ 협력 　④ 협소

걸린 시간 　　분 　맞은 개수 　　개

교과 어휘 - 다의어

토하다

① 먹은 것을 삭이지 못하고 도로 입 밖으로 내어놓다.

예 멀미를 심하게 하던 언니는 먹은 것을 모두 **토했다**.

② 밖으로 내뿜다.

예 건물이 창밖으로 시뻘건 불길을 **토해** 냈다.

③ 느낌이나 생각을 소리나 말로 힘 있게 드러내다.

예 연극을 본 사람들은 자기도 모르게 감탄을 **토했다**.

피다

① 꽃봉오리 등이 벌어지다.

예 담장에 장미가 활짝 **피었다**.

② 웃음이나 미소 등이 겉으로 나타나다.

예 미소가 **핀** 다영이의 얼굴은 정말 아름다웠다.

③ 곰팡이, 버짐, 검버섯 등이 생겨서 나타나다.

예 노인의 얼굴에는 검버섯이 **피어** 있었다.

교과 어휘 - 동음이의어

타다[1]

탈것이나 짐승의 등 같은 것에 몸을 얹다.

예 짐이 많아서 택시를 **탔다**.

타다[2]

불씨나 높은 열로 불이 붙어 번지거나 불꽃이 일어나다.

예 도서관에 불이 나서 책들이 다 **탔다**.

훔치다[1]

남의 물건을 남몰래 슬쩍 가져다가 자기 것으로 하다.

예 도둑은 금은방에서 보석을 **훔치다** 경찰에 붙잡혔다.

훔치다[2]

물기나 때 등이 묻은 것을 닦아 말끔하게 하다.

예 행주로 식탁을 **훔쳤다**.

확인 학습

1-2 **밑줄 친 낱말의 뜻으로 알맞은 것의 기호를 쓰세요.**

1 4월이 되면서 공원에 벚꽃이 활짝 피었다. (　　)
㉠ 꽃봉오리 등이 벌어지다.
㉡ 웃음이나 미소 등이 겉으로 나타나다.

2 영화를 보면서 손수건으로 눈물을 훔쳤다. (　　)
㉠ 물기나 때 등이 묻은 것을 닦아 말끔하게 하다.
㉡ 남의 물건을 남몰래 슬쩍 가져다가 자기 것으로 하다.

3-5 **다음 밑줄 친 낱말의 뜻풀이를 찾아 바르게 선으로 이으세요.**

3 아기가 우유를 토했다. • 　　• ㉠ 밖으로 내뿜다.

4 인쇄기가 끊임없이 종이를 토해 냈다. • 　　• ㉡ 느낌이나 생각을 소리나 말로 힘 있게 드러내다.

5 희재는 학생 회장이 되면 열심히 일하겠다며 열변을 토했다. • 　　• ㉢ 먹은 것을 삭이지 못하고 도로 입 밖으로 내어놓다.

6-7 **빈칸에 들어갈 알맞은 낱말을 보기에서 찾아 쓰세요.**

보기　탔다　토했다　피었다　훔쳤다

6 식탁에 둔 식빵에 곰팡이가 (　　).

7 그는 어두운 밤을 틈타 마을 사람들의 돈을 (　　).

8-9 **다음 뜻풀이에 알맞은 낱말을 보기에서 찾아 기호를 쓰세요.**

보기
진수: 어젯밤에 불이 나서 저 건물 3층이 모두 ㉠탔대.
윤희: 저런, 큰일이 났었구나. 사람들은 어떻게 됐대?
진수: 한 사람이 연기를 마셔서 구급차를 ㉡타고 병원에 갔대.

8 탈것이나 짐승의 등 같은 것에 몸을 얹다. (　　)

9 불씨나 높은 열로 불이 붙어 번지거나 불꽃이 일어나다. (　　)

걸린 시간 　　분　　맞은 개수 　　개

공부한 날 ( )월 ( )일

심화 어휘 - 주제별 속담

★ 부정적인 상황

긁어 부스럼

아무렇지도 않은 일을 공연히 건드려서 걱정을 일으킨 경우를 이르는 말.

예 이미 완성된 그림인데 더 예쁘게 고치려다 망쳐 버렸으니 **긁어 부스럼**이구나.

어휘 쏙 공연히 아무 까닭이나 실속이 없게.

꼬리가 길면 밟힌다

나쁜 일을 아무리 남모르게 한다고 해도 오래 두고 여러 번 계속하면 결국에는 들키고 만다는 것을 이르는 말.

예 **꼬리가 길면 밟힌다**고 동생 방에서 일주일 동안 과자를 몰래 꺼내 먹다가 서랍을 닫지 않아서 결국 들켰다.

어물전 망신은 꼴뚜기가 시킨다

지지리 못난 사람일수록 같이 있는 동료를 망신시킨다는 말.

예 **어물전 망신은 꼴뚜기가 시킨다**더니 유럽 여행에 갔다가 한글로 된 낙서를 발견하고 정말 창피했다.

어휘 쏙 지지리 '아주 몹시' 또는 '지긋지긋하게'의 뜻을 나타내는 말.

심화 어휘 - 주제별 관용어

★ 얼굴과 관련된 관용어

얼굴만 쳐다보다

아무 대책 없이 서로에게 기대기만 하다.

예 우리는 수학 문제를 풀 줄 몰라 한참 동안 서로의 **얼굴만 쳐다봤다**.

얼굴에 씌어 있다

감정, 기분 등이 얼굴에 나타나다.

예 네가 거짓말했다고 **얼굴에 씌어 있어**.

얼굴을 내밀다

모임 등에 모습을 나타내다.

예 그는 약속 시간이 30분이나 지나서야 **얼굴을 내밀었다**.

확인 학습

1-3 **다음 관용어와 그 뜻풀이를 바르게 선으로 이으세요.**

1 얼굴만 쳐다보다 • • ㉠ 모임 등에 모습을 나타내다.

2 얼굴에 씌어 있다 • • ㉡ 감정, 기분 등이 얼굴에 나타나다.

3 얼굴을 내밀다 • • ㉢ 아무 대책 없이 서로에게 기대기만 하다.

4-5 **다음 뜻풀이에 알맞은 속담을 보기에서 찾아 기호를 쓰세요.**

보기
㉠ 긁어 부스럼
㉡ 꼬리가 길면 밟힌다
㉢ 어물전 망신은 꼴뚜기가 시킨다

4 지지리 못난 사람일수록 같이 있는 동료를 망신시킨다는 말. ( )

5 아무렇지도 않은 일을 공연히 건드려서 걱정을 일으킨 경우를 이르는 말. ( )

6-7 **빈칸에 들어갈 알맞은 낱말을 보기에서 찾아 쓰세요.**

보기 꼬리 꼴뚜기 망둥이 머리카락

6 ( )이/가 길면 밟힌다고 계속 학원을 땡땡이치다 길에서 어머니를 만나서 들통났다.

7 어물전 망신은 ( )이/가 시킨다더니 우리 반 친구들이 박물관에서 떠들다 쫓겨나서 나도 덩달아 부끄럽다.

8 **다음 상황에 알맞은 관용어를 골라 ○표를 하세요.**

아름이와 함께 집에 가는 길이었다. 골목길로 들어서려는데 길 앞에 큰 개가 있었다. 아름이는 걸음을 멈췄다. 개가 무섭다는 생각이 아름이의 얼굴에 (씌어, 피어) 있었다. 그런데 나도 개를 무서워해서 우리 둘은 서로의 얼굴만 (노려볼, 쳐다볼) 수밖에 없었다.

걸린 시간 분 맞은 개수 개

MEMO

어휘력 향상에 꼭 필요한 710개 필수 낱말 총정리

초등 국어 일등급 어휘력

4

[어휘력 테스트 & 정답과 해설]

어휘력 테스트

01회 어휘력 테스트

1-3 밑줄 친 낱말의 뜻풀이를 보기에서 찾아 기호를 쓰세요.

보기
㉠ 마음에 깊이 느끼어 크게 감동함. 또는 그 감동.
㉡ 어떤 부분을 특별히 강하게 주장하거나 두드러지게 함.
㉢ 막을 열거나 올린다는 뜻으로, 연극이나 음악회, 행사 등을 시작함.

1 우승한 날의 <u>감격</u>이 아직도 생생하다.

2 선생님의 그림 전시회 <u>개막</u>이 내일이다.

3 엄마는 인사를 잘해야 한다고 <u>강조</u>하셨다.

4-6 빈칸에 들어갈 알맞은 낱말을 보기에서 찾아 쓰세요.

보기 가로질렀다 거뜬했다 고됐다

4 그는 수영으로 한강을 (   ).

5 낮잠을 자고 났더니 몸이 (   ).

6 훈련이 재미있기도 했지만 많이 (   ).

7-9 다음 문장에서 알맞지 <u>않게</u> 쓰인 낱말에 밑줄을 긋고 알맞은 낱말로 고쳐 쓰세요.

7 동생은 징검다리를 조심조심 건넜다.

8 옆집에서 이사를 간다며 자전거를 그저 주었다.

9 점심에 먹기로 한 자장면을 자장라면으로 가름하였다.

10-12 다음 초성과 뜻풀이를 참고하여 빈칸에 들어갈 낱말을 쓰세요.

10 ㄱ ㄹ : 주고받음. 또는 사고팖.
→ 사용한 물건을 사고파는 중고 (   )이/가 활발하다.

11 ㄱ ㅅ : 단속하기 위하여 주의 깊게 살핌.
→ 미세먼지 배출을 (   )하는 드론이 나왔다.

12 ㄱ ㅈ : 어떤 물건이 특히 많이 나거나 있는 곳.
→ 통영은 굴이 많이 나기로 유명한 (   )이다.

13-14 밑줄 친 낱말과 바꾸어 쓸 수 있는 낱말을 보기에서 찾아 쓰세요.

보기 곧똑히 빼근한 연거푸 횡단하는

13 눈밭을 <u>가로지르는</u> 기차를 타고 싶다.

14 미끄러우니 뛰지 말라고 <u>거듭</u> 강조했다.

15 보기의 빈칸에 들어갈 낱말이 순서대로 짝 지어진 것은 무엇인가요?

보기
체육 시간에 피구 시합을 하였다. 가위바위보를 해서 학생들을 수비 팀과 공격 팀으로 (   )하였다. 시합 중에 우리 팀 민수가 공을 잡았는데 가만히 서 있기만 했다. 나는 (   ) 보고만 있을 수 없어서 민수에게서 공을 뺏자마자 상대팀에 던져 한 명을 맞혔다.

① 가름 – 거저 ② 가름 – 그저
③ 갈음 – 거저 ④ 갈음 – 그저

걸린 시간 분 맞은 개수 개

02회 어휘력 테스트

정답과 해설 34쪽

1-3 다음 뜻풀이에 알맞은 낱말을 보기에서 찾아 쓰세요.

보기: 경사 고정 공간 공상

1 아무것도 없는 빈 곳. (   )

2 한번 정한 대로 변경하지 아니함. (   )

3 비스듬히 기울어짐. 또는 그런 상태나 정도. (   )

4-6 빈칸에 공통으로 들어갈 낱말을 보기에서 찾아 쓰세요.

보기: 귀담아듣다 글썽이다 꿰다 끊임없다

4 바늘에 실을 (   ).
바지를 주섬주섬 (   ). → ________

5 친구의 충고를 (   ).
선생님의 말씀을 (   ). → ________

6 하늘을 보며 눈물을 (   ).
나도 모르게 눈물을 (   ). → ________

7-8 다음 초성과 뜻풀이를 참고하여 빈칸에 들어갈 낱말을 쓰세요.

7 ㄱ ㅇ: 본래부터 가지고 있는 특유한 것.
→ 경주에는 우리 (   )의 문화유산이 많이 있다.

8 ㄲ ㅇ ㅊ ㄷ: 깨달아 알게 하다.
→ 휴대 전화 사용법을 스스로 (   ).

9-12 다음 뜻풀이에 알맞은 한자 성어를 보기에서 찾아 기호를 쓰세요.

보기: ㉠ 낭중지추 ㉡ 백미 ㉢ 변화무쌍 ㉣ 상전벽해

9 변하는 정도가 비할 데 없이 심함. (   )

10 뽕나무밭이 변하여 푸른 바다가 된다는 뜻으로, 세상일의 변천이 심함을 이르는 말. (   )

11 흰 눈썹이라는 뜻으로, 여럿 가운데에서 가장 뛰어난 사람이나 훌륭한 물건을 이르는 말. (   )

12 주머니 속의 송곳이라는 뜻으로, 재능이 뛰어난 사람은 숨어 있어도 저절로 사람들에게 알려짐을 이르는 말. (   )

13-15 다음 상황을 표현하기에 알맞은 한자 성어를 찾아 바르게 선으로 이으세요.

13 시현이는 전교생 중에서 달리기가 가장 빠르다. • • ㉠ 격세지감

14 이번 꽃 축제에서 가장 아름다웠던 것은 장미 전시관이었다. • • ㉡ 군계일학

15 오랜만에 서울에 왔더니 너무 변하여 다른 세상에 온 것 같다. • • ㉢ 백미

걸린 시간 (   ) 분 맞은 개수 (   ) 개

03회 어휘력 테스트

1-3 다음 뜻풀이에 알맞은 낱말을 보기에서 찾아 쓰세요.

보기 교환 구도 구별 구성원

1 서로 바꿈. (　　)

2 어떤 조직이나 단체를 이루고 있는 사람들. (　　)

3 성질이나 종류에 따라 차이가 남. 또는 성질이나 종류에 따라 갈라놓음. (　　)

4-5 밑줄 친 낱말이 다음과 같은 뜻으로 쓰인 문장의 기호를 쓰세요.

4 다른 사람을 향해 먼저 어떤 행동을 하다.

㉠ 아이들에게 우리나라의 희망을 걸다.

㉡ 나는 가만히 있는 동생에게 장난을 걸었다.

5 몹시 느리게 가거나 행동하다.

㉠ 동굴이 낮아 바닥을 기어서 들어갔다.

㉡ 차가 많아서 놀이동산에 기어서 도착했다.

6-8 다음 밑줄 친 부분과 의미가 통하는 관용어를 보기에서 찾아 기호를 쓰세요.

보기
㉠ 가슴에 새기다
㉡ 가슴에 손을 얹다
㉢ 가슴이 뜨겁다

6 엄마 몰래 게임을 한 적이 없다고 내 양심을 걸고 말했다.

7 할머니 사진만 보면 큰 사랑을 받아 고마움으로 눈물이 난다.

8 낯선 사람을 따라가지 말라는 엄마의 말씀을 단단히 기억하고 있다.

9-12 밑줄 친 낱말의 뜻풀이를 보기에서 찾아 기호를 쓰세요.

보기
㉠ 눈꺼풀을 내려 눈동자를 덮다.
㉡ 여럿 중에서 가려내거나 뽑다.
㉢ 어떤 물체를 다른 물체에 말거나 빙 두르다.
㉣ 여럿이 다 높낮이, 크기, 양 등의 차이가 없이 한결같다.

9 나무젓가락에 실을 감았다. (　　)

10 눈을 감고 파도 소리를 들어 보자. (　　)

11 여러 맛 중에서 사과 맛 젤리를 골랐다. (　　)

12 이 지역은 비가 일 년 내내 고르게 내린다. (　　)

13-15 다음 속담에 알맞은 뜻풀이를 보기에서 찾아 기호를 쓰세요.

보기
㉠ 잘 먹은 체하며 이를 쑤신다는 뜻으로, 실속은 없으면서 무엇이 있는 체함을 이르는 말.
㉡ 떠들썩한 소문이나 큰 기대에 비하여 실속이 없거나 소문이 실제와 일치하지 않는 경우를 이르는 말.
㉢ 겉보기에는 먹음직스러워 보이지만 맛은 없는 개살구처럼 겉만 그럴듯하고 실속이 없는 경우를 이르는 말.

13 빛 좋은 개살구 (　　)

14 냉수 먹고 이 쑤시기 (　　)

15 소문난 잔치에 먹을 것 없다 (　　)

걸린 시간 　 분 맞은 개수 　 개

04회 어휘력 테스트

1-3 밑줄 친 낱말의 뜻풀이를 보기에서 찾아 기호를 쓰세요.

보기
㉠ 오래되거나 낡아서 쓸모가 없게 됨.
㉡ 선물이나 기념으로 남에게 물품을 거저 줌.
㉢ 자동차 선로, 철도 선로 등과 같이 일정한 두 지점을 정기적으로 오가는 교통선.

1 할머니는 컴퓨터를 학교에 기증하셨다.

2 우리 놀이터의 그네가 노후화되어 위험하다.

3 지하철 노선을 따라 박물관 여행을 해 보자.

4-6 빈칸에 들어갈 알맞은 낱말을 보기에서 찾아 쓰세요.

보기
끼적였다 내디뎠다
내세웠다 다독였다

4 힘들지만 정상을 향해 발걸음을 (　　　　).

5 새로운 생각이 날 때마다 수첩에 (　　　　).

6 나는 엄마께 꾸중을 들어서 울고 있는 동생을 (　　　　).

7-9 다음 문장에서 알맞지 않게 쓰인 낱말에 밑줄을 긋고 알맞은 낱말로 고쳐 쓰세요.

7 아빠는 택배 상자를 날아 정리하셨다.

8 세현이는 집에서 도마뱀을 기리고 있다.

9 온 집안에 간장을 다리는 냄새가 가득했다.

10-12 다음 초성과 뜻풀이를 참고하여 빈칸에 들어갈 낱말을 쓰세요.

10 ㄱ ㅈ: 기본이 되는 표준.
➔ 동요 대회의 심사 (　　　　)을/를 바꾸었다.

11 ㄴ ㄷ ㄴ ㄷ: 더할 수 없을 정도로 매우 넓다.
➔ 새로 생긴 공원이 (　　　　).

12 ㄴ ㅈ ㅁ: 논밭에 심어 가꾸는 곡식이나 채소.
➔ 비가 많이 와서 (　　　　) 피해가 심각하다.

13-14 밑줄 친 낱말과 바꾸어 쓸 수 있는 낱말을 보기에서 찾아 쓰세요.

보기
과시할 시선 용감할 흥미

13 그 장군은 내세울 만한 업적이 많다.

14 현서는 잘못한 것이 있는지 자꾸 내 눈길을 피하고 있다.

15 보기의 빈칸에 들어갈 낱말이 순서대로 짝 지어진 것은 무엇인가요?

보기
우리 학교 학생들은 독립운동을 하신 분들의 희생을 (　　) 기념식에 초대를 받았다. 나는 아침에 엄마가 정성껏 (　　) 주신 옷을 입고 기념식장에 갔다. 기념식을 하면서 독립운동을 하신 분들에 대한 감사한 마음을 잊지 않기로 다짐했다.

① 기르는 – 다려
② 기르는 – 달여
③ 기리는 – 다려
④ 기리는 – 달여

걸린 시간 　　 분 맞은 개수 　　 개

05회 어휘력 테스트

1-3 **다음 뜻풀이에 알맞은 낱말을 보기에서 찾아 쓰세요.**

보기
당선 대담 대안 대피

1 선거에서 뽑힘. (   )

2 어떤 안(案)을 대신하는 안. (   )

3 마주 대하고 말함. 또는 그런 말. (   )

4-6 **빈칸에 공통으로 들어갈 낱말을 보기에서 찾아 쓰세요.**

보기
덧붙였다 돋우었다
되받아쳤다 뒤엉켰다

4 차들이 도로에 (   ).
바람에 머리카락이 (   ). → ______

5 물건에 설명서를 (   ).
게시판에 포스터를 (   ). → ______

6 노래가 흥을 (   ).
밖을 보려고 발끝을 (   ). → ______

7-8 **다음 초성과 뜻풀이를 참고하여 빈칸에 들어갈 낱말을 쓰세요.**

7 ㄷ ㅁ : 많은 물건이 한데 모여 쌓인 큰 덩어리.
→ 돌 (   ) 속에서 노란 꽃이 피었다.

8 ㄷ ㅈ : 딱 잘라서 판단하고 결정함.
→ 친구들은 내가 뚱뚱해서 달리기를 못한다고 (   )했다.

9-12 **다음 뜻풀이에 알맞은 한자 성어를 보기에서 찾아 기호를 쓰세요.**

보기
㉠ 누란지세 ㉡ 연모지정
㉢ 오매불망 ㉣ 풍전등화

9 자나 깨나 잊지 못함. (   )

10 사랑하여 간절히 그리워하는 마음. (   )

11 층층이 쌓아 놓은 알의 형세라는 뜻으로, 몹시 위태로운 형세를 이르는 말. (   )

12 바람 앞의 등불이라는 뜻으로, 사물이 매우 위태로운 처지에 놓여 있음을 이르는 말. (   )

13-15 **다음 상황을 표현하기에 알맞은 한자 성어를 찾아 바르게 선으로 이으세요.**

13 전학 간 연서와 나는 서로 그리워서 매일 영상 통화를 한다. • • ㉠ 누란지세

14 영화 속에서 주인공이 다리에 간신히 매달려 강물에 떨어지기 직전이다. • • ㉡ 사면초가

15 눈길에 미끄러져 다리를 다쳤는데 주변에 도와줄 사람이 아무도 없었다. • • ㉢ 상사불망

걸린 시간 (   ) 분 맞은 개수 (   ) 개

06회 어휘력 테스트

정답과 해설 35쪽

1-3 다음 뜻풀이에 알맞은 낱말을 보기에서 찾아 쓰세요.

보기: 동등 동의 맹세 모형

1 의사나 의견을 같이함. ( )

2 실물을 모방하여 만든 물건. ( )

3 일정한 약속이나 목표를 꼭 실천하겠다고 다짐함. ( )

4-5 밑줄 친 낱말이 다음과 같은 뜻으로 쓰인 문장의 기호를 쓰세요.

4 시간이나 일을 늦추거나 미루다.

㉠ 더 이상 시간을 끌지 말고 결정하자.

㉡ 최신 노래로 아이들의 관심을 끌었다.

5 추워서 굳어진 몸이나 신체 부위가 풀리다.

㉠ 해가 뜨자 쌓였던 눈이 사르르 녹았다.

㉡ 따뜻한 차 한 잔으로 얼었던 몸이 녹았다.

6-8 다음 밑줄 친 부분과 의미가 통하는 관용어를 보기에서 찾아 기호를 쓰세요.

보기
㉠ 걸음마를 떼다
㉡ 걸음을 재촉하다
㉢ 걸음을 하다

6 나는 이제 막 수영을 배우기 시작했다.

7 우리 학교 운동회에 국회의원이 오셨다.

8 축구 경기가 시작되어 빨리 서둘러 갔다.

9-12 밑줄 친 낱말의 뜻풀이를 보기에서 찾아 기호를 쓰세요.

보기
㉠ 다른 것이 아니라 오로지.
㉡ 목이 짧고 배가 부른 작은 항아리.
㉢ 생각이나 처지가 튼튼하거나 굳지 못하고 흔들림.
㉣ 어린이를 위하여 어린이의 마음을 바탕으로 지은 노래.

9 이 동요를 우리 함께 불러보자. ( )

10 엄마는 단지에 꿀을 담아 놓으셨다. ( )

11 지유가 눈물을 흘리자 마음의 동요가 일어났다. ( )

12 우리는 단지 키가 비슷하다는 이유로 한 팀이 되었다. ( )

13-15 다음 속담에 알맞은 뜻풀이를 보기에서 찾아 기호를 쓰세요.

보기
㉠ 어떤 사물에 몹시 놀란 사람은 비슷한 사물만 보아도 겁을 냄을 이르는 말.
㉡ 아무리 위급한 경우를 당하더라도 정신만 똑똑히 차리면 위기를 벗어날 수가 있다는 말.
㉢ 아무리 눌려 지내는 미천한 사람이나, 순하고 좋은 사람이라도 너무 업신여기면 가만있지 아니한다는 말.

13 지렁이도 밟으면 꿈틀한다 ( )

14 자라 보고 놀란 가슴 솥뚜껑 보고 놀란다 ( )

15 호랑이에게 물려 가도 정신만 차리면 산다 ( )

걸린 시간 분 맞은 개수 개

07회 어휘력 테스트

1-3 밑줄 친 낱말의 뜻풀이를 보기에서 찾아 기호를 쓰세요.

> 보기
> ㉠ 다함이 없이 굉장히 많음.
> ㉡ 문화 활동에 의하여 창조된 가치가 뛰어난 사물.
> ㉢ 주민이 행정 기관에 대하여 원하는 바를 요구하는 일.

1 우산을 빌려준 친구가 <u>무진장</u> 고마웠다.

2 숭례문은 우리나라의 중요한 <u>문화재</u>이다.

3 학교 앞에 신호등을 설치해 달라는 <u>민원</u>이 많다.

4-6 빈칸에 들어갈 알맞은 낱말을 보기에서 찾아 쓰세요.

> 보기
> 뒷받침했다 들고일어났다
> 떠벌렸다 뚜렷했다

4 진호는 우리 반에서 자기가 축구를 제일 잘한다고 (   ).

5 학교 운동장을 사용하지 못하게 하자 학생들이 (   ).

6 검은 종이에 노란색으로 또박또박 쓴 글씨가 (   ).

7-9 다음 문장에서 알맞지 <u>않게</u> 쓰인 낱말에 밑줄을 긋고 알맞은 낱말로 고쳐 쓰세요.

7 새우튀김을 하는데 기름이 손등에 튀어서 대었다.

8 물병 뚜껑이 제대로 다치지 않아서 가방이 다 젖었다.

9 나와 친해지자 진서는 사나운 성격을 들어내기 시작했다.

10-12 다음 초성과 뜻풀이를 참고하여 빈칸에 들어갈 낱말을 쓰세요.

10 ㅁ ㅇ ㄷ: 사람이 살지 않는 섬.
→ 아무도 없는 (   )에 가 보고 싶다.

11 ㅂ ㅅ: 일정한 방법이나 형식.
→ 나라마다 생활 (   )이/가 다르다.

12 ㄸ ㅈ: 어떤 일을 하는 데 그 일과는 전혀 관계없는 일이나 행동.
→ 동생은 물을 달라는 내 말에 (   )을/를 부렸다.

13-14 밑줄 친 낱말과 바꾸어 쓸 수 있는 낱말을 보기에서 찾아 쓰세요.

> 보기
> 결심했다 뒷바라지했다 자랑했다

13 나는 매일 책을 읽기로 <u>마음먹었다</u>.

14 우리 팀이 우승할 수 있도록 다솔이가 여러 가지로 <u>뒷받침했다</u>.

15 보기의 빈칸에 들어갈 낱말이 순서대로 짝 지어진 것은 무엇인가요?

> 보기
> 공원에서 달리기를 하는데 강아지가 나를 따라왔다. 그 모습이 귀여워서 쓰다듬으려고 강아지 머리에 손을 (   ) 순간, 강아지가 멍멍 짖어 댔다. 나는 너무 놀라서 뒤로 넘어지면서 손목을 (   ).

① 대는 – 다쳤다　② 대는 – 닫혔다
③ 데는 – 다쳤다　④ 데는 – 닫혔다

걸린 시간 　　 분 맞은 개수 　　 개

08회 어휘력 테스트

1-3 다음 뜻풀이에 알맞은 낱말을 보기 에서 찾아 쓰세요.

보기 배경 배려 번창 보존

1 잘 보호하고 간수하여 남김. ( )

2 도와주거나 보살펴 주려고 마음을 씀. ( )

3 사건이나 환경, 인물 등을 둘러싼 주위의 정경. ( )

4-6 빈칸에 공통으로 들어갈 낱말을 보기 에서 찾아 쓰세요.

보기 말끔하다 맞대다 메스껍다 모질다

4 서로 얼굴을 ( ). 엄마와 무릎을 ( ). → ______

5 속이 ( ). 자랑하는 모습이 ( ). → ______

6 말이 ( ). 성격이 독하고 ( ). → ______

7-8 다음 초성과 뜻풀이를 참고하여 빈칸에 들어갈 낱말을 쓰세요.

7 ㅂ ㄷ : 어떠한 의무나 책임을 짐.
→ 그 일은 회장에게 큰 ( )을/를 주는 것이다.

8 ㅁ ㄱ : 남이 하는 말의 뜻을 알아듣는 총기.
→ 그는 ( )이/가 어두워 여러 번 말해 주어야 한다.

9-12 다음 뜻풀이에 알맞은 한자 성어를 보기 에서 찾아 기호를 쓰세요.

보기 ㉠ 대경실색 ㉡ 동병상련 ㉢ 망연자실 ㉣ 초록동색

9 멍하니 정신을 잃음. ( )

10 몹시 놀라 얼굴빛이 하얗게 질림. ( )

11 어려운 처지에 있는 사람끼리 서로 가엾게 여김을 이르는 말. ( )

12 풀빛과 녹색은 같은 빛깔이란 뜻으로, 같은 처지의 사람과 어울리거나 기우는 것을 이르는 말. ( )

13-15 다음 상황을 표현하기에 알맞은 한자 성어를 찾아 바르게 선으로 이으세요.

13 어제 산 휴대 전화를 화장실에 빠뜨리고 멍하니 서 있었다. • • ㉠ 망연자실

14 나와 친구들은 모두 춤과 노래를 좋아하고 야구와 축구를 잘한다. • • ㉡ 유유상종

15 산불이 순식간에 우리 집 근처까지 번져 너무 놀라 정신없이 도망쳤다. • • ㉢ 혼비백산

걸린 시간 분 맞은 개수 개

09회 어휘력 테스트

1-3 다음 뜻풀이에 알맞은 낱말을 보기에서 찾아 쓰세요.

보기 부채　분리　붕괴　사료

1 무너지고 깨어짐. (　　　)

2 남에게 빚을 짐. 또는 그 빚. (　　　)

3 역사 연구에 필요한 문헌이나 유물. (　　　)

4-5 밑줄 친 낱말이 다음과 같은 뜻으로 쓰인 문장의 기호를 쓰세요.

4 즐거움이나 고통, 고생 등을 함께하다.

㉠ 햄버거를 반으로 나누어 달라고 하였다.

㉡ 슬픔과 기쁨을 함께 나누는 것이 친구이다.

5 누군가 가거나 와서 둘이 서로 마주 보다.

㉠ 공원에서 호정이를 만나 자전거를 탔다.

㉡ 강과 바다가 만나는 곳에 물고기가 많다.

6-8 다음 밑줄 친 부분과 의미가 통하는 관용어를 보기에서 찾아 기호를 쓰세요.

보기
㉠ 귀가 가렵다
㉡ 귀를 기울이다
㉢ 귀에 못이 박히다

6 복도에서 뛰지 말라는 말을 여러 번 들었다.

7 나와 의견이 다르더라도 상대방의 말을 주의를 모아 들어야 한다.

8 다솔이가 한 일에 대해 이렇게 얘기하고 있으니 다솔이는 누가 자기 말을 한다고 느낄 거야.

9-12 밑줄 친 낱말의 뜻풀이를 보기에서 찾아 기호를 쓰세요.

보기
㉠ 다른 사람이나 동물의 뒤에서, 그가 가는 대로 같이 가다.
㉡ 물건을 흙이나 다른 물건 속에 넣어 보이지 않게 쌓아 덮다.
㉢ 그릇을 기울여 안에 들어 있는 액체를 밖으로 조금씩 흐르게 하다.
㉣ 가루, 풀, 물 등이 그보다 큰 다른 물체에 들러붙거나 흔적이 남게 되다.

9 나는 아빠를 따라 달렸다. (　　　)

10 옷에 풀이 묻어 끈적끈적하다. (　　　)

11 우유를 컵에 따르다가 엎질렀다. (　　　)

12 물고기가 죽어 땅에 묻어 주었다. (　　　)

13-15 다음 속담에 알맞은 뜻풀이를 보기에서 찾아 기호를 쓰세요.

보기
㉠ 일이 이미 잘못된 뒤에는 손을 써도 소용이 없음을 비꼬는 말.
㉡ 임시변통은 될지 모르나 그 효력이 오래가지 못할 뿐만 아니라 결국에는 사태가 더 나빠짐을 이르는 말.
㉢ 커지기 전에 처리하였으면 쉽게 해결되었을 일을 내버려 두었다가 나중에 큰 힘을 들이게 된 경우를 이르는 말.

13 언 발에 오줌 누기 (　　　)

14 소 잃고 외양간 고친다 (　　　)

15 호미로 막을 것을 가래로 막는다 (　　　)

걸린 시간 　　분 　맞은 개수 　　개

10회 어휘력 테스트

정답과 해설 36쪽

1-3 **밑줄 친 낱말의 뜻풀이를 보기 에서 찾아 기호를 쓰세요.**

보기
㉠ 전체에서 일부를 줄이거나 뺌.
㉡ 일정한 액수나 수치 등에 해당함.
㉢ 생물 등이 일정한 곳에 자리를 잡고 사는 곳.

1 만 원 상당의 도서상품권에 당첨되었다.

2 인사말은 생략하고 수업을 시작하겠습니다.

3 신안 갯벌은 물새의 서식지로 전 세계에 인정받았다.

4-6 **빈칸에 들어갈 알맞은 낱말을 보기 에서 찾아 쓰세요.**

보기 몰아닥친 몽실몽실 문득 뭉근한

4 갑자기 (   ) 강추위에 강물이 얼었다.

5 (   ) 불에 구운 가래떡이 쫄깃쫄깃하니 맛있다.

6 파란 하늘에 (   ) 떠 있는 구름을 보면 기분이 좋아진다.

7-9 **다음 문장에서 알맞지 않게 쓰인 낱말에 밑줄을 긋고 알맞은 낱말로 고쳐 쓰세요.**

7 이번 학기 회장을 맞게 되어 기쁘다.

8 그 옷은 색이 문안하여 어디에나 잘 어울린다.

9 하루 종일 가방을 매고 있으면 어깨가 아프다.

10-12 **다음 초성과 뜻풀이를 참고하여 빈칸에 들어갈 낱말을 쓰세요.**

10 ㅅ ㄷ ㄱ: 생기 있게 살아 움직이는 듯한 느낌.
→ 연수는 호랑이를 (   ) 있게 그렸다.

11 ㅅ ㅌ: 생물이 살아가는 모양이나 상태.
→ 이번 숙제는 개미의 (   )을/를 조사하는 것이다.

12 ㅁ ㄷ: 생각이나 느낌 등이 갑자기 떠오르는 모양.
→ 축구를 하는데 (   ) 전학 간 지우가 생각났다.

13-14 **밑줄 친 낱말과 바꾸어 쓸 수 있는 낱말을 보기 에서 찾아 쓰세요.**

보기 꾸준하다 듬직하다 버둥거린다

13 덫에 걸린 고양이가 벗어나려고 몸부림친다.

14 내 동생은 어린 나이에도 의젓하고 묵직하다.

15 **보기 의 빈칸에 들어갈 낱말이 순서대로 짝 지어진 것은 무엇인가요?**

보기
추석을 (   ) 학교에서 민속촌으로 현장 체험 학습을 갔다. 거기에는 긴 줄을 나무에 (   ) 만든 그네가 있었다. 그네를 타는데 처음에는 잘 안 올라가더니 점점 높이 올라가서 놀이터 그네보다 무서우면서도 재미있었다.

① 맞아 – 매어 ② 맞아 – 메어
③ 말아 – 매어 ④ 말아 – 메어

걸린 시간 분 맞은 개수 개

11회 어휘력 테스트

1-3 다음 뜻풀이에 알맞은 낱말을 보기에서 찾아 쓰세요.

보기 설계 소감 손실 수문

1 마음에 느낀 바. ( )

2 계획을 세움. 또는 그 계획. ( )

3 잃어버리거나 축나서 손해를 봄. 또는 그 손해. ( )

4-6 빈칸에 공통으로 들어갈 낱말을 보기에서 찾아 쓰세요.

보기 바깥일 발자취 부럼 비탈

4 모래밭에 ( )을/를 남겼다.
독립운동가의 ( )이/가 담긴 책. → ______

5 나는 ( )에 관심이 없다.
집안일과 ( )을/를 동시에 하다. → ______

6 ( )이/가 심한 길.
( )이/가 가파른 산. → ______

7-8 다음 초성과 뜻풀이를 참고하여 빈칸에 들어갈 낱말을 쓰세요.

7 ㅂ ㄸ 이다: 물체 등에 반사된 큰 빛이 잠깐씩 나타나다.
→ 길 건너에서 불빛이 ( )였다.

8 ㅅ ㅇ : 힘이 쇠하고 약함.
→ 성희는 몸이 ( )하여 소풍을 갈 수 없었다.

9-12 다음 뜻풀이에 알맞은 한자 성어를 보기에서 찾아 기호를 쓰세요.

보기 ㉠ 감언이설 ㉡ 거두절미 ㉢ 수주대토 ㉣ 어불성설

9 어떤 일의 요점만 간단히 말함. ( )

10 말이 조금도 일의 이치에 맞지 아니함. ( )

11 한 가지 일에만 얽매여 발전을 모르는 어리석은 사람을 이르는 말. ( )

12 귀가 솔깃하도록 남의 비위를 맞추거나 이로운 조건을 내세워 꾀는 말. ( )

13-15 다음 상황을 표현하기에 알맞은 한자 성어를 찾아 바르게 선으로 이으세요.

13 게임기를 빌려주겠다는 말에 그를 회장으로 뽑았다. • • ㉠ 각주구검

14 급식 당번을 정하는 기준에 대해 여러 말이 오고 갔다. • • ㉡ 감언이설

15 공에 맞아 머리에 혹이 나서 우는데, 아빠가 남자는 절대 울면 안 된다며 소리쳤다. • • ㉢ 설왕설래

걸린 시간 분 맞은 개수 개

12회 어휘력 테스트

정답과 해설 36쪽

1-3 다음 뜻풀이에 알맞은 낱말을 보기 에서 찾아 쓰세요.

보기 수심 수평 습기 시기

1 기울지 않고 평평한 상태. ( )

2 물기가 많아 젖은 듯한 기운. ( )

3 강이나 바다, 호수 등의 물의 깊이. ( )

4-5 밑줄 친 낱말이 다음과 같은 뜻으로 쓰인 문장의 기호를 쓰세요.

4 연기 등이 눈이나 코를 아리게 하다.

㉠ 매운 연기에 눈을 뜰 수 없었다.

㉡ 준서는 어리지만 매운 김치를 잘 먹는다.

5 서로의 사이가 다정하지 않고 서먹서먹하다.

㉠ 할머니 댁에 도착하려면 아직 멀었다.

㉡ 말다툼을 한 이후로 윤서가 멀게 느껴진다.

6-8 다음 밑줄 친 부분과 의미가 통하는 관용어를 보기 에서 찾아 기호를 쓰세요.

보기

㉠ 눈에 띄다

㉡ 눈을 돌리다

㉢ 눈을 속이다

6 송연이는 방학 동안 두드러지게 키가 컸다.

7 그는 사람들에게 중국산 마스크를 국산 마스크라고 속여 팔았다.

8 성식이는 한동안 로봇에 대해 알아보더니 이제 드론으로 관심을 돌렸다.

9-12 밑줄 친 낱말의 뜻풀이를 보기 에서 찾아 기호를 쓰세요.

보기

㉠ 반대가 되다.

㉡ 마소나 다른 사람을 시켜 일을 하게 하다.

㉢ 행동이나 성질 등을 계속 드러내거나 보이다.

㉣ 어떤 사람이나 사물 등에 마음이 홀린 것같이 쏠리다.

9 우리는 서연이의 춤에 반했다. ( )

10 언니는 집안일에 나만 부려 먹는다. ( )

11 멋을 부리다가 약속 시간에 늦었다. ( )

12 오빠는 게으른 데 반해 나는 부지런하다. ( )

13-15 다음 속담에 알맞은 뜻풀이를 보기 에서 찾아 기호를 쓰세요.

보기

㉠ 따돌림을 받아서 여럿의 축에 끼지 못하는 사람을 이르는 말.

㉡ 여럿이 모여 웃고 떠드는 가운데 혼자 묵묵히 앉아 있는 사람을 이르는 말.

㉢ 바늘이 가는 데 실이 항상 뒤따른다는 뜻으로, 사람의 긴밀한 관계를 이르는 말.

13 개밥에 도토리 ( )

14 바늘 가는 데 실 간다 ( )

15 꾸어다 놓은 보릿자루 ( )

걸린 시간 분 맞은 개수 개

13회 어휘력 테스트

1-3 밑줄 친 낱말의 뜻풀이를 보기에서 찾아 기호를 쓰세요.

보기
㉠ 살가죽의 겉면.
㉡ 실제로 쓰기에 알맞은. 또는 그런 것.
㉢ 어떤 일이 잘 진행되어 마음을 놓음.

1 운동장에서 넘어져서 <u>살갗</u>이 벗겨지고 피가 났다.

2 이 운동화는 물에서도 신을 수 있어서 <u>실용적</u>이다.

3 기차가 떠나기 전에 도착해서 <u>안도</u>의 숨을 내쉬었다.

4-6 빈칸에 들어갈 알맞은 낱말을 보기에서 찾아 쓰세요.

보기 산뜻해 삼가야 새침데기 성큼성큼

4 당분간 심한 운동은 (　　　　) 한다.

5 머리를 두 갈래로 묶으니 (　　　　) 보인다.

6 소은이는 첫인상이 (　　　　) 같아서 가까이 가기가 어렵다.

7-9 다음 문장에서 알맞지 <u>않게</u> 쓰인 낱말에 밑줄을 긋고 알맞은 낱말로 고쳐 쓰세요.

7 양팔만큼 간격을 벌여 줄을 서세요.

8 누나가 간식으로 계란을 삼아 주었다.

9 나는 머리가 잘 헝클어져서 자주 빚어야 한다.

10-12 다음 초성과 뜻풀이를 참고하여 빈칸에 들어갈 낱말을 쓰세요.

10 ㅇ ㅈ : 힘이나 세력이 약한 사람이나 생물. 또는 그런 집단.
→ 형은 늘 (　　　　) 편에 서서 행동하였다.

11 ㅇ ㅊ : 나쁜 냄새.
→ 마트 화장실에서 심한 (　　　　)이/가 났다.

12 ㅅ ㅎ : 꿈, 기대 등을 실제로 이룸.
→ 야구 선수가 되는 꿈을 (　　　　)하려면 꾸준히 연습해야 한다.

13-14 밑줄 친 낱말과 바꾸어 쓸 수 있는 낱말을 보기에서 찾아 쓰세요.

보기
관찰해야 꼼꼼해야
드문드문하게 지나치게

13 길가에는 은행나무가 <u>성기게</u> 심겨 있었다.

14 찻길을 건널 때는 항상 주변을 <u>살펴보아야</u> 한다.

15 보기의 빈칸에 들어갈 낱말이 순서대로 짝 지어진 것은 무엇인가요?

보기 내가 만두를 먹고 싶다고 했더니 엄마가 만두 재료를 사 오셨다. 엄마와 나는 두부, 당면, 고기, 숙주 등 재료를 개수대 위에 (　　) 놓고 하나씩 손질한 뒤 만두를 (　　). 모양은 예쁘지 않았지만 만두는 너무 맛있었다.

① 벌여 – 빗었다　② 벌여 – 빚었다
③ 벌려 – 빗었다　④ 벌려 – 빚었다

걸린 시간 　　분　맞은 개수 　　개

14회 어휘력 테스트

정답과 해설 37쪽

1-3 다음 뜻풀이에 알맞은 낱말을 보기에서 찾아 쓰세요.

보기: 업무 연관 연료 오해

1 직장 같은 곳에서 맡아서 하는 일. (   )

2 사물이나 현상이 일정한 관계를 맺는 일. (   )

3 그릇되게 해석하거나 뜻을 잘못 앎. 또는 그런 해석이나 이해. (   )

4-6 빈칸에 공통으로 들어갈 낱말을 보기에서 찾아 쓰세요.

보기: 솟구쳐 수북이 스산해 쓸아서

4 낙엽이 (   ) 쌓였다.
보리가 (   ) 자라고 있다. → ______

5 날씨가 (   ) 몸을 웅크렸다.
바람이 (   ) 기분이 쓸쓸하다. → ______

6 화가 (   ) 소리를 질렀다.
바위틈에서 물줄기가 (   ) 올랐다. → ______

7-8 다음 초성과 뜻풀이를 참고하여 빈칸에 들어갈 낱말을 쓰세요.

7 ㅇ ㄱ: 일이 없어 남는 시간.
→ 나는 수영을 하면서 (   )을/를 즐겼다.

8 ㅅ ㄱ: 옷이나 이부자리 등을 지을 때 두 폭을 맞대고 꿰맨 줄.
→ 나는 베개 (   )을/를 만지면서 잔다.

9-12 다음 뜻풀이에 알맞은 한자 성어를 보기에서 찾아 기호를 쓰세요.

보기: ㉠ 용두사미 ㉡ 자승자박 ㉢ 자화자찬 ㉣ 화룡점정

9 무슨 일을 하는 데에 가장 중요한 부분을 완성함을 이르는 말. (   )

10 자기가 한 말과 행동에 자기 자신이 옭혀 곤란하게 됨을 이르는 말. (   )

11 용의 머리와 뱀의 꼬리라는 뜻으로, 처음은 좋으나 끝이 좋지 않음을 이르는 말. (   )

12 자기가 그린 그림을 스스로 칭찬한다는 뜻으로, 자기가 한 일을 스스로 자랑함을 이르는 말. (   )

13-15 다음 상황을 표현하기에 알맞은 한자 성어를 찾아 바르게 선으로 이으세요.

13 주형이는 자기가 야구도 잘하고 축구도 잘한다고 스스로를 칭찬했다. •   • ㉠ 자문자답

14 매일 책을 한 권씩 읽겠다고 다짐했지만 이틀 만에 읽지 않게 되었다. •   • ㉡ 자화자찬

15 지수는 "우리 몇 시에 만날까?"라고 묻고는 바로 "1시에 만나자."라고 답했다. •   • ㉢ 작심삼일

걸린 시간 (   ) 분 맞은 개수 (   ) 개

15회 어휘력 테스트

1-3 다음 뜻풀이에 알맞은 낱말을 보기에서 찾아 쓰세요.

보기 외면 우범 원격 위조

1 멀리 떨어져 있음. (　　　)

2 범죄를 저지를 우려가 있음. (　　　)

3 어떤 물건을 속일 목적으로 꾸며 진짜처럼 만듦. (　　　)

4-5 밑줄 친 낱말이 다음과 같은 뜻으로 쓰인 문장의 기호를 쓰세요.

4 맡아서 보살피거나 지키다.

㉠ 내 취미는 음악 프로그램을 보는 것이다.

㉡ 일이 바쁜 이모 대신 엄마가 아기를 보았다.

5 맞닿아 떨어지지 아니하다.

㉠ 오빠가 과학 고등학교 입학시험에 붙었다.

㉡ 게시판에 강아지를 찾는다는 쪽지가 붙었다.

6-8 다음 밑줄 친 부분과 의미가 통하는 관용어를 보기에서 찾아 기호를 쓰세요.

보기
㉠ 배가 등에 붙다
㉡ 배가 아프다
㉢ 배를 불리다

6 일이 바빠서 하루 종일 굶었더니 몹시 허기진다.

7 지수가 생일 선물로 최신형 게임기를 받아 심술이 난다.

8 너의 이익만 챙기지 말고 친구에게도 관심을 갖도록 하여라.

9-12 밑줄 친 낱말의 뜻풀이를 보기에서 찾아 기호를 쓰세요.

보기
㉠ 시간의 어느 한 시점.
㉡ 서로 관계를 맺게 되는 인연.
㉢ 사물을 관찰하고 파악하는 기본적인 자세.
㉣ 종이에 댓가지를 가로세로로 붙여 실을 맨 다음 공중에 높이 날리는 장난감.

9 여름이 되자 해 뜨는 시각이 빨라졌다. (　　　)

10 이 책은 어린아이의 시각으로 쓴 것이다. (　　　)

11 연을 날릴 때에는 바람을 잘 타야 한다. (　　　)

12 부모님은 서로 같은 회사를 다닌 것이 연이 되어 결혼하셨다. (　　　)

13-15 다음 속담에 알맞은 뜻풀이를 보기에서 찾아 기호를 쓰세요.

보기
㉠ 실행하기 어려운 것을 공연히 의논함을 이르는 말.
㉡ 갈수록 더욱 어려운 지경에 처하게 되는 경우를 이르는 말.
㉢ 밑 빠진 독은 아무리 물을 부어도 채울 수 없다는 뜻으로, 아무리 애를 써도 보람이 없는 일을 이르는 말.

13 갈수록 태산 (　　　)

14 밑 빠진 독에 물 붓기 (　　　)

15 고양이 목에 방울 달기 (　　　)

걸린 시간 　　 분 맞은 개수 　　 개

1-3 밑줄 친 낱말의 뜻풀이를 보기에서 찾아 기호를 쓰세요.

보기
㉠ 힘으로 으르고 협박함.
㉡ 물질적으로나 정신적으로 보탬이 되는 것.
㉢ 사람의 힘으로 자연에 대하여 가공하거나 작용을 하는 일.

1 미세 먼지가 심하여 건강의 위협을 받고 있다.

2 인공 폭포라도 여름에는 더위를 식힐 수 있다.

3 그는 자신에게 이익이 되는 일에만 관심이 있다.

4-6 빈칸에 들어갈 알맞은 낱말을 보기에서 찾아 쓰세요.

보기
아른거렸다 안절부절못했다
알아맞혔다 앙다물었다

4 강물 위에 달빛이 (   ).

5 언니는 오늘의 퀴즈 문제를 바로 (   ).

6 시우는 징검다리를 건너다가 휴대 전화를 물에 빠뜨려 (   ).

7-9 다음 문장에서 알맞지 않게 쓰인 낱말에 밑줄을 긋고 알맞은 낱말로 고쳐 쓰세요.

7 해가 뜨자 별빛이 쓰러졌다.

8 친구와의 약속을 잃어버리고 낮잠을 잤다.

9 두 냇물이 만나는 얼음에는 물고기가 많다.

10-12 다음 초성과 뜻풀이를 참고하여 빈칸에 들어갈 낱말을 쓰세요.

10 ㅇ ㅅ: 확실히 알 수 없어서 믿지 못하는 마음.
→ 친구를 (   )하지 말고 믿어야 한다.

11 ㅇ ㄷ ㅁ 다: 힘을 주어 꽉 다물다.
→ 지현이는 사탕을 빼앗기지 않으려고 입을 (   )었다.

12 ㅇ ㅋ: 즐겁고 상쾌함.
→ 공원에서 친구들과 뛰어놀며 (   )한 하루를 보냈다.

13-14 밑줄 친 낱말과 바꾸어 쓸 수 있는 낱말을 보기에서 찾아 쓰세요.

보기
겸연쩍었다 매만졌다 초조했다

13 전교생 앞에서 노래를 부르려니 쑥스러웠다.

14 이모는 헤어질 때면 항상 내 손을 어루만졌다.

15 보기의 빈칸에 들어갈 낱말이 순서대로 짝 지어진 것은 무엇인가요?

보기
자전거를 타고 가는데 내 앞으로 퀵보드를 탄 아이가 휙 끼어들었다. 나는 그 아이를 피하려다 중심을 잃고 (   ). 그런데 일어나려고 하니 발목이 아팠다. 엄마는 발목을 삔 것 같다며 집에 가서 (   ) 찜질을 하자고 하셨다.

① 스러졌다 – 어름
② 스러졌다 – 얼음
③ 쓰러졌다 – 어름
④ 쓰러졌다 – 얼음

걸린 시간 분 맞은 개수 개

17회 어휘력 테스트

1-3 **다음 뜻풀이에 알맞은 낱말을 보기에서 찾아 쓰세요.**

보기
인류 작성 장비 장신구

1 세계의 모든 사람. (　　　)

2 서류, 원고 등을 만듦. (　　　)

3 몸치장을 하는 데 쓰는 물건. (　　　)

4-6 **빈칸에 공통으로 들어갈 낱말을 보기에서 찾아 쓰세요.**

보기
어엿한 얹어 엎지른 엿보는

4 나도 (　　　) 학생이 되었다.
그는 (　　　) 수의사가 되었다. → ______

5 반찬을 밥에 (　　　) 먹었다.
덤으로 사과 세 개를 (　　　) 주었다. → ______

6 방 안을 (　　　) 사람이 있다.
누가 내 얼굴을 (　　　) 느낌이 든다. → ______

7-8 **다음 초성과 뜻풀이를 참고하여 빈칸에 들어갈 낱말을 쓰세요.**

8 ㅇㄹ하다: 대강 짐작으로 헤아리다.
→ 동물원에 도착할 시간을 (　　　)해 보았다.

7 ㅇㅈ: 확실히 그렇다고 여김.
→ 지율이는 거짓말을 했다는 사실을 (　　　) 했다.

9-12 **다음 뜻풀이에 알맞은 한자 성어를 보기에서 찾아 기호를 쓰세요.**

보기
㉠ 금의환향 ㉡ 대기만성
㉢ 심사숙고 ㉣ 입신양명

9 깊이 잘 생각함. (　　　)

10 출세하여 이름을 세상에 떨침. (　　　)

11 비단옷을 입고 고향에 돌아온다는 뜻으로, 출세를 하여 고향에 돌아가거나 돌아옴을 이르는 말. (　　　)

12 큰 그릇을 만드는 데는 시간이 오래 걸린다는 뜻으로, 크게 될 사람은 늦게 이루어짐을 이르는 말. (　　　)

13-15 **다음 상황을 표현하기에 알맞은 한자 성어를 찾아 바르게 선으로 이으세요.**

13 주말이라 길이 많이 막힐 것을 알고 지하철을 탔다. • • ㉠ 대기만성

14 10년 넘게 연습생 생활을 하더니 드디어 세계적인 가수가 되었다. • • ㉡ 선견지명

15 친구의 실수에 화가 났지만 내가 실수했던 때가 생각나서 친구를 용서했다. • • ㉢ 역지사지

걸린 시간 　　분 맞은 개수 　　개

18회 어휘력 테스트

정답과 해설 38쪽

1-3 다음 뜻풀이에 알맞은 낱말을 보기에서 찾아 쓰세요.

보기: 저자　저장　적성　전담

1 글로 써서 책을 지어 낸 사람. (　　　)

2 물건이나 재화 등을 모아서 간수함. (　　　)

3 어떤 일이나 비용의 전부를 도맡아 하거나 부담함. (　　　)

4-5 밑줄 친 낱말이 다음과 같은 뜻으로 쓰인 문장의 기호를 쓰세요.

4 여럿 가운데에서 골라내다.

㉠ 밭에서 고구마를 <u>뽑았다</u>.

㉡ 우리 반 계주 대표로 시현이를 <u>뽑았다</u>.

5 물건이 깨어지거나 헐다.

㉠ <u>상한</u> 음식을 먹고 배탈이 났다.

㉡ 가구들이 <u>상하지</u> 않게 조심히 옮겨 주세요.

6-8 다음 밑줄 친 부분과 의미가 통하는 관용어를 보기에서 찾아 기호를 쓰세요.

보기
㉠ 마음에 차다
㉡ 마음을 풀다
㉢ 마음이 돌아서다

6 리코더 수행 평가를 끝내고 <u>긴장했던 마음을 늦추었다</u>.

7 동생은 <u>마음이 달라졌는지</u> 만화책을 사 달라고 조르지 않았다.

8 할아버지께서 어린이날 선물로 <u>내 마음에 쏙 드는</u> 장난감을 사 주셨다.

9-12 밑줄 친 낱말의 뜻풀이를 보기에서 찾아 기호를 쓰세요.

보기
㉠ 장사하는 사람.
㉡ 무엇을 하고자 하는 생각.
㉢ 군사를 거느리는 우두머리.
㉣ 일정한 자격을 가지고 병을 고치는 것을 직업으로 하는 사람.

9 이순신은 가장 용감한 <u>장수</u>이다. (　　　)

10 내가 <u>의사</u>가 되어 진찰하는 꿈을 꾸었다. (　　　)

11 우리 동네에는 매주 월요일 붕어빵 <u>장수</u>가 온다. (　　　)

12 민우는 학교 대표로 로봇 경진 대회에 나갈 <u>의사</u>가 없다. (　　　)

13-15 다음 속담에 알맞은 뜻풀이를 보기에서 찾아 기호를 쓰세요.

보기
㉠ 잘 아는 일이라도 세심하게 주의를 하라는 말.
㉡ 너무 급히 서둘러 일을 하면 잘못하고 실패하게 됨을 이르는 말.
㉢ 친구를 사귀거나 직업을 택할 때에 신중하게 잘 가려서 택해야 한다는 말.

13 급히 먹는 밥이 체한다 (　　　)

14 새도 가지를 가려서 앉는다 (　　　)

15 돌다리도 두들겨 보고 건너라 (　　　)

걸린 시간 　　분　맞은 개수 　　개

19회 어휘력 테스트

1-3 밑줄 친 낱말의 뜻풀이를 보기에서 찾아 기호를 쓰세요.

> **보기**
> ㉠ 배를 만들거나 고치는 곳.
> ㉡ 어떤 일이 진행되는 바로 그 자리.
> ㉢ 어떤 물질이 액체 상태에서 기체 상태로 변함. 또는 그런 현상.

1 내일은 조선소로 현장 체험 학습을 간다.

2 문어를 잡아서 즉석에서 라면을 끓여 먹었다.

3 뜨거운 햇빛에 컵에 든 물이 모두 증발하였다.

4-6 빈칸에 들어갈 알맞은 낱말을 보기에서 찾아 쓰세요.

> **보기**
> 움찔했다 움켜쥐었다
> 을러멨다 일구었다

4 아빠는 고구마를 심기 위해 밭을 (　　　　).

5 간신히 잡은 메기가 빠져나가지 못하도록 두 손으로 (　　　　).

6 한 번 더 반칙을 하면 다음부터 축구를 같이 하지 않겠다고 (　　　　).

7-9 다음 문장에서 알맞지 않게 쓰인 낱말에 밑줄을 긋고 알맞은 낱말로 고쳐 쓰세요.

7 엄마는 마늘을 하루 종일 찢었다.

8 밤마다 개 짓는 소리에 잠을 잘 수 없다.

9 이번 달리기 대회에는 우리 반 전채가 참가했다.

10-12 다음 초성과 뜻풀이를 참고하여 빈칸에 들어갈 낱말을 쓰세요.

10 ㅈ ㅊ: 매우 흔함.
→ 낙엽이(　　　　)(으)로 쌓여 있다.

11 ㅈ ㅇ: 일정한 규정에 의하여 정한 인원.
→ 이 놀이기구의 (　　　　)은/는 20명입니다.

12 ㅇ ㄷ ㅁ ㄹ: 어떤 일이나 단체에서 으뜸인 사람.
→ 원숭이 무리에서 (　　　　)은/는 가장 힘이 센 수놈이 된다.

13-14 밑줄 친 낱말과 바꾸어 쓸 수 있는 낱말을 보기에서 찾아 쓰세요.

> **보기**
> 내년 어두침침하던 으뜸 으르던

13 이듬해에는 사과가 열릴 것이다.

14 아침부터 우중충하던 하늘이 어느새 맑게 개었다.

15 보기의 빈칸에 들어갈 낱말이 순서대로 짝 지어진 것은 무엇인가요?

> **보기**
> 미술 시간에 종이를 이용한 만들기를 하였다. 우리 모둠은 먼저 크기가 여러 가지인 상자를 이용해서 집을 (　　). 그리고 색종이를 (　　) 집을 예쁘게 꾸몄다. 선생님께서 우리가 만든 집이 진짜 집 같다며 칭찬해 주셨다.

① 지었다 – 찢어　　② 지었다 – 찡어
③ 짖었다 – 찢어　　④ 짖었다 – 찡어

걸린 시간 　　분 맞은 개수 　　개

20회 어휘력 테스트

정답과 해설 38쪽

1-3 다음 뜻풀이에 알맞은 낱말을 보기에서 찾아 쓰세요.

보기: 차단 착각 참견 창의

1 다른 것과의 관계나 접촉을 막거나 끊음. ( )

2 새로운 의견을 생각하여 냄. 또는 그 의견. ( )

3 어떤 사물이나 사실을 실제와 다르게 알거나 생각함. ( )

4-6 빈칸에 공통으로 들어갈 낱말을 보기에서 찾아 쓰세요.

보기: 일으켰다 잡아당겼다 젠체했다 지저분했다

4 넘어져 우는 아기를 ( ).
수업 시간에 말썽을 ( ). → ______

5 흙탕물이 튄 바지가 ( ).
청소를 안 한 교실이 ( ). → ______

6 승민이는 항상 ( ).
그는 자기가 천재라고 ( ). → ______

7-8 다음 초성과 뜻풀이를 참고하여 빈칸에 들어갈 낱말을 쓰세요.

7 ㅈ ㅊ : 어떤 방면으로 활동 범위나 세력을 넓혀 나아감.
→ 이번에 이기면 결승에 ( )할 수 있다.

8 ㅈ ㄱ : 물건의 가치에 맞는 가격.
→ 흠이 있는 과일은 ( )을/를 받기 힘들다.

9-12 다음 뜻풀이에 알맞은 한자 성어를 보기에서 찾아 기호를 쓰세요.

보기: ㉠ 만시지탄 ㉡ 맥수지탄 ㉢ 무지몽매 ㉣ 어로불변

9 아는 것이 없고 사리에 어두움. ( )

10 고국의 멸망을 한탄함을 이르는 말. ( )

11 시기에 늦어 기회를 놓쳤음을 안타까워하는 탄식. ( )

12 어(魚) 자와 노(魯) 자를 구별하지 못한다는 뜻으로, 아주 무식함을 이르는 말. ( )

13-15 다음 상황을 표현하기에 알맞은 한자 성어를 찾아 바르게 선으로 이으세요.

13 주하는 드론에 대해서는 아는 것이 하나도 없다. • • ㉠ 만시지탄

14 할머니는 글자를 몰라서 기차를 타는 것이 불편하다고 하셨다. • • ㉡ 목불식정

15 언니는 피아노 발표회를 앞두고 연습을 좀 더 일찍 시작하지 않은 것을 후회했다. • • ㉢ 일자무식

걸린 시간 ( ) 분 맞은 개수 ( ) 개

21회 어휘력 테스트

1-3 다음 뜻풀이에 알맞은 낱말을 보기에서 찾아 쓰세요.

보기 초조 최첨단 타협 탐사

1 시대나 유행의 맨 앞. ( )

2 애가 타서 마음이 조마조마함. ( )

3 어떤 일을 서로 양보하여 협의함. ( )

4-5 밑줄 친 낱말이 다음과 같은 뜻으로 쓰인 문장의 기호를 쓰세요.

4 더운 기가 없어지다.

㉠ 불고기가 식기 전에 얼른 먹어라.

㉡ 서연이는 춤에 대한 열의가 식었다.

5 사람의 표정이나 행위 등을 보고 뜻이나 마음을 알아차리다.

㉠ 이 책을 큰 소리로 읽어 보아라.

㉡ 나는 그의 표정에서 미안한 마음을 읽었다.

6-8 다음 밑줄 친 부분과 의미가 통하는 관용어를 보기에서 찾아 기호를 쓰세요.

보기
㉠ 발을 구르다
㉡ 발을 끊다
㉢ 발이 넓다

6 컵라면을 먹으면 살찐다는 말에 편의점에 가지 않았다.

7 한 바퀴를 남기고 우리나라 선수가 역전을 당해서 질까 봐 매우 다급해했다.

8 줄넘기를 안 가져왔는데, 아는 친구들이 많아서 옆 반에서 줄넘기를 빌렸다.

9-12 밑줄 친 낱말의 뜻풀이를 보기에서 찾아 기호를 쓰세요.

보기
㉠ 책임이나 의무를 맡게 하다.
㉡ 손이나 손에 든 물건으로 세게 부딪게 하다.
㉢ 어떠한 상태라고 인정하거나 사실인 듯 받아들이다.
㉣ 쓴 글씨나 그린 그림, 흔적 등을 지우개나 천 등으로 보이지 않게 없애다.

9 결과보다 노력을 더 높게 친다. ( )

10 지호가 내 어깨를 치고 달아났다. ( )

11 이 문제의 책임을 학생에게 지우는 것은 옳지 않다. ( )

12 엄마는 글자를 알아볼 수 없다며 지우고 다시 쓰라고 하셨다. ( )

13-15 다음 속담에 알맞은 뜻풀이를 보기에서 찾아 기호를 쓰세요.

보기
㉠ 자기는 더 큰 흉이 있으면서 도리어 남의 작은 흉을 본다는 말.
㉡ 아무리 큰 잘못을 저지른 사람도 그것을 변명하고 이유를 붙일 수 있다는 말.
㉢ 자기의 허물은 생각하지 않고 도리어 남의 허물만 나무라는 경우를 이르는 말.

13 핑계 없는 무덤이 없다 ( )

14 똥 묻은 개가 겨 묻은 개 나무란다 ( )

15 가랑잎이 솔잎더러 바스락거린다고 한다 ( )

걸린 시간 분 맞은 개수 개

22회 어휘력 테스트

1-3 밑줄 친 낱말의 뜻풀이를 보기에서 찾아 기호를 쓰세요.

보기
㉠ 물 위에 떠서 정한 곳 없이 흘러감.
㉡ 우편이나 전신, 전화 등으로 정보나 의사를 전달함.
㉢ 조직, 질서, 관계 등을 흩어지게 하거나 무너뜨림.

1 태풍을 만난 배는 바다를 표류하였다.

2 플라스틱 사용으로 인한 환경 파괴가 심각하다.

3 통신 기술의 발달로 세계 곳곳에 있는 사람들과 동시에 이야기할 수 있다.

4-6 빈칸에 들어갈 알맞은 낱말을 보기에서 찾아 쓰세요.

보기
쫓겨나　　청승맞게
통틀어　　파르스름하게

4 그는 아무도 없는 무대에서 (　　　　　) 노래를 불렀다.

5 세현이는 잔디밭에서 놀다가 (　　　　　) 운동장으로 갔다.

6 길짐승, 날짐승, 물짐승 등을 (　　　　　) 동물이라고 한다.

7-9 다음 문장에서 알맞지 않게 쓰인 낱말에 밑줄을 긋고 알맞은 낱말로 고쳐 쓰세요.

7 텔레비전을 캐서 만화를 보았다.

8 옷을 입은 체 바다에 뛰어 들어갔다.

9 시험에서 실수로 한 문제를 더 달라서 속상하다.

10-12 다음 초성과 뜻풀이를 참고하여 빈칸에 들어갈 낱말을 쓰세요.

10 ㅌ ㅅ ㅁ: 어떤 지역의 특별한 산물.
→ 굴은 통영의 (　　　　)(으)로 유명하다.

11 ㅊ ㅍ ㄷ: 힘없이 넘어지거나 주저앉는 소리. 또는 그 모양
→ 사고 소식을 듣고 (　　　　) 주저앉았다.

12 ㅍ ㄱ: 배가 드나드는 개의 어귀.
→ 바다로 나가려는 배들로 (　　　　)이/가 새벽부터 붐볐다.

13-14 밑줄 친 낱말과 바꾸어 쓸 수 있는 낱말을 보기에서 찾아 쓰세요.

보기
권하는　　뻐개는　　타내는

13 사과를 맨손으로 쪼개는 장면이 나왔다.

14 내 잘못인 줄 알면서도 아무도 나를 탓하는 사람이 없었다.

15 보기의 빈칸에 들어갈 낱말이 순서대로 짝 지어진 것은 무엇인가요?

보기
우리 가족은 갯벌에서 맛조개를 (　　). 맛조개는 손가락처럼 길고 갈색이다. 처음에는 내가 알고 있는 조개와 생김새가 (　　) 나뭇가지인 줄 알았다. 그런데 껍데기 사이로 조갯살이 나오는 것을 보고 조개도 모양이 여러 가지라는 것을 알았다.

① 캤다 – 달라서　　② 캤다 – 틀려서
③ 켰다 – 달라서　　④ 켰다 – 틀려서

걸린 시간 　　분　맞은 개수 　　개

23회 어휘력 테스트

1-3 다음 뜻풀이에 알맞은 낱말을 보기에서 찾아 쓰세요.

보기: 풍속 필체 해일 현상

1 글씨를 써 놓은 모양. (　　　)

2 그 시대의 유행과 습관 등을 이르는 말. (　　　)

3 갑자기 바닷물이 크게 일어서 육지로 넘쳐 들어오는 것. (　　　)

4-6 빈칸에 공통으로 들어갈 낱말을 보기에서 찾아 쓰세요.

보기: 허물고 헤매고 헤치고 흥정하고

4 벽을 (　　　) 방을 넓혔다. 공장을 (　　　) 공원을 지었다. → ________

5 흙을 (　　　) 벌레를 잡았다. 배가 물살을 (　　　) 나갔다. → ________

6 동생을 찾아 (　　　) 다녔다. 로봇을 조립할 줄 몰라 (　　　) 있다. → ________

7-8 다음 초성과 뜻풀이를 참고하여 빈칸에 들어갈 낱말을 쓰세요.

7 ㅍㅈ: 물건의 성질과 바탕.

→ 이 청소기는 (　　　)도 좋고 가격도 싸다.

8 ㅎㄱ하다 : 물 등이 푹 잠기거나 고일 정도로 많다.

→ 줄넘기를 30분 동안 했더니 온몸이 땀으로 (　　　)하다.

9-12 다음 뜻풀이에 알맞은 한자 성어를 보기에서 찾아 기호를 쓰세요.

보기: ㉠ 격물치지 ㉡ 교학상장 ㉢ 위편삼절 ㉣ 일장춘몽

9 실제 사물의 이치를 연구하여 지식을 완전하게 함. (　　　)

10 가르치고 배우는 과정에서 스승과 제자가 함께 성장함. (　　　)

11 한바탕의 봄꿈이라는 뜻으로, 헛된 영화나 덧없는 일을 이르는 말. (　　　)

12 공자가 주역을 즐겨 읽어 책의 가죽끈이 세 번이나 끊어졌다는 뜻으로, 책을 열심히 읽음을 이르는 말. (　　　)

13-15 다음 상황을 표현하기에 알맞은 한자 성어를 찾아 바르게 선으로 이으세요.

13 시현이는 독서를 좋아해서 밥을 먹을 때에도 손에서 책을 놓지 않는다. • 　　• ㉠ 교학상장

14 나와 민서는 서로 모르는 것을 알려 주면서 공부하여 둘 다 성적이 올랐다. • 　　• ㉡ 동상이몽

15 제주도 여행을 가는데 아빠는 낚시할 생각을, 엄마는 산에 갈 생각을 하고 계신다. • 　　• ㉢ 수불석권

걸린 시간 　　분 　맞은 개수 　　개

24회 어휘력 테스트

정답과 해설 39쪽

1-3 다음 뜻풀이에 알맞은 낱말을 보기에서 찾아 쓰세요.

보기 협곡 협조 혼잡 홍보

1 험하고 좁은 골짜기. ( )

2 여럿이 한데 뒤섞이어 어수선함. ( )

3 널리 알림. 또는 그 소식이나 보도. ( )

4-5 밑줄 친 낱말이 다음과 같은 뜻으로 쓰인 문장의 기호를 쓰세요.

4 밖으로 내뿜다.

㉠ 공장 굴뚝에서 검은 연기를 토해 낸다.

㉡ 속이 울렁거리더니 먹은 것을 모두 토했다.

5 웃음이나 미소 등이 겉으로 나타나다.

㉠ 귤에 곰팡이가 피어 먹을 수가 없었다.

㉡ 동생의 재롱에 엄마 얼굴에 웃음꽃이 피었다.

6-8 다음 밑줄 친 부분과 의미가 통하는 관용어를 보기에서 찾아 기호를 쓰세요.

보기
㉠ 얼굴만 쳐다보다
㉡ 얼굴에 씌어 있다
㉢ 얼굴을 내밀다

6 수연이가 동생을 울렸다는 것이 얼굴에 나타나 있다.

7 대학생인 오빠는 오랜만에 가족 모임에 모습을 나타냈다.

8 언니와 나는 배가 고픈데 엄마가 안 계셔서 대책 없이 엄마가 오기만을 기다렸다.

9-12 밑줄 친 낱말의 뜻풀이를 보기에서 찾아 기호를 쓰세요.

보기
㉠ 탈것이나 짐승의 등 같은 것에 몸을 얹다.
㉡ 물기나 때 등이 묻은 것을 닦아 말끔하게 하다.
㉢ 남의 물건을 남몰래 슬쩍 가져다가 자기 것으로 하다.
㉣ 불씨나 높은 열로 불이 붙어 번지거나 불꽃이 일어나다.

9 말을 타고 들판을 달리고 싶다. ( )

10 산불이 나서 큰 나무들이 모두 탔다. ( )

11 우유를 쏟아서 교실 바닥을 걸레로 훔쳤다. ( )

12 편의점에서 과자를 훔치다 주인에게 들켰다. ( )

13-15 다음 속담에 알맞은 뜻풀이를 보기에서 찾아 기호를 쓰세요.

보기
㉠ 지지리 못난 사람일수록 같이 있는 동료를 망신시킨다는 말.
㉡ 아무렇지도 않은 일을 공연히 건드려서 걱정을 일으킨 경우를 이르는 말.
㉢ 나쁜 일을 아무리 남모르게 한다고 해도 오래 두고 여러 번 계속하면 결국에는 들키고 만다는 것을 이르는 말.

13 긁어 부스럼 ( )

14 꼬리가 길면 밟힌다 ( )

15 어물전 망신은 꼴뚜기가 시킨다 ( )

걸린 시간 분 맞은 개수 개

MEMO

정답과 해설

확인 학습 정답

01회

교과 어휘 - 한자어 ▶ 본문 9쪽

1 ㉡ 2 ㉢ 3 ㉠ 4 주의
5 강하게 6 개막 7 강좌 8 건축물
9 건물 10 매매

교과 어휘 - 고유어 ▶ 본문 11쪽

1 고장 2 골똘히 3 갯벌 4 고단하다
5 거볍고 6 ㉠ 7 ㉡ 8 ㉢
9 ②

심화 어휘 - 헷갈리기 쉬운 낱말 ▶ 본문 13쪽

1 ㉢ 2 ㉡ 3 ㉠ 4 그저
5 건네 6 거저 7 가름 8 건너야
9 건너 → 건네 10 그저 → 거저

02회

교과 어휘 - 한자어 ▶ 본문 15쪽

1 ㉢ 2 ㉠ 3 ㉡ 4 본래
5 빠르게 6 공간 7 공상 8 고정
9 비탈 10 몽상

교과 어휘 - 고유어 ▶ 본문 17쪽

1 깨우치다 2 꿰다 3 글썽이다 4 흐려지는
5 이어져 6 ㉠ 7 ㉡ 8 ㉢
9 ㉡

심화 어휘 - 주제별 한자 성어 ▶ 본문 19쪽

1 ㉡ 2 ㉢ 3 ㉠ 4 바다
5 송곳 6 백미 7 변화무쌍 8 낭중지추
9 ①

03회

교과 어휘 - 한자어 ▶ 본문 21쪽

1 ㉠ 2 ㉢ 3 ㉡ 4 사람
5 이동 6 교환 7 관광 8 구별
9 구성 10 유람

교과 어휘 - 다의어·동음이의어 ▶ 본문 23쪽

1 ㉠ 2 ㉠ 3 ㉢ 4 ㉡
5 ㉠ 6 감아 7 기어 8 ㉠
9 ㉡

심화 어휘 - 주제별 속담·관용어 ▶ 본문 25쪽

1 ㉡ 2 ㉠ 3 ㉢ 4 ㉡
5 ㉢ 6 빛 7 잔치
8 뜨거웠다, 새기기로

04회

교과 어휘 - 한자어 ▶ 본문 27쪽

1 ㉢ 2 ㉠ 3 ㉡ 4 표준
5 정기적 6 금속 7 기호 8 농작물
9 신호 10 기부

교과 어휘 - 고유어 ▶ 본문 29쪽

1 끼적이다 2 내세우다 3 내디디다 4 관심
5 약한 6 옮겨 7 ㉡ 8 ㉢
9 ㉠ 10 ①

심화 어휘 - 헷갈리기 쉬운 낱말 ▶ 본문 31쪽

1 ㉠ 2 ㉢ 3 ㉡ 4 달여
5 날아 6 길러 7 나르기 8 기려
9 날아서 → 날라서 10 달였다 → 다렸다

05회

교과 어휘 - 한자어 ▶ 본문 33쪽

1 ㉢ 2 ㉠ 3 ㉡ 4 ㉢
5 ㉠ 6 ㉡ 7 당선 8 대안
9 단정 10 ②

교과 어휘 - 고유어 ▶ 본문 35쪽

1 되받아치다 2 돋우다 3 두리번거리다
4 물건 5 가슴 6 ㉡ 7 ㉠
8 ㉢ 9 ③

심화 어휘 - 주제별 한자 성어 ▶ 본문 37쪽

1 ㉢ 2 ㉡ 3 ㉠ 4 그리워하여
5 도움 6 오매불망 7 연모지정 8 풍전등화
9 ②

07회

교과 어휘 - 한자어 ▶ 본문 45쪽

1 ㉡ 2 ㉢ 3 ㉠ 4 가치
5 요구 6 방식 7 물질 8 무인도
9 ①

교과 어휘 - 고유어 ▶ 본문 47쪽

1 뒷받침하다 2 들고일어나다 3 뚜렷하다
4 완곡 5 관계 6 ㉢ 7 ㉡
8 ㉠ 9 ②

심화 어휘 - 헷갈리기 쉬운 낱말 ▶ 본문 49쪽

1 ㉢ 2 ㉠ 3 ㉡ 4 닫혀
5 드러내 6 대 7 다쳤다 8 델
9 드러내기로 → 들어내기로 10 들어났다 → 드러났다

06회

교과 어휘 - 한자어 ▶ 본문 39쪽

1 ㉡ 2 ㉢ 3 ㉠ 4 모방
5 옳다고 6 도청 7 마비 8 동의
9 대등 10 선서

교과 어휘 - 다의어 · 동음이의어 ▶ 본문 41쪽

1 ㉡ 2 ㉠ 3 ㉢ 4 ㉠
5 ㉡ 6 끌며 7 동요 8 ㉡
9 ㉠

심화 어휘 - 주제별 속담 · 관용어 ▶ 본문 43쪽

1 ㉡ 2 ㉠ 3 ㉢ 4 ㉡
5 ㉢ 6 지렁이 7 호랑이 8 떼는, 하셨다

08회

교과 어휘 - 한자어 ▶ 본문 51쪽

1 ㉡ 2 ㉢ 3 ㉠ 4 보호
5 성하게 6 배경 7 부분 8 배려
9 보전 10 일부

교과 어휘 - 고유어 ▶ 본문 53쪽

1 맞대다 2 모질다 3 메스껍다 4 알아듣는
5 직업 6 ㉢ 7 ㉠ 8 ㉡
9 ③

심화 어휘 - 주제별 한자 성어 ▶ 본문 55쪽

1 ㉡ 2 ㉠ 3 ㉢ 4 가엾게
5 녹색 6 망연자실 7 대경실색 8 초록동색
9 ②

확인 학습 정답

09회

교과 어휘 - 한자어 ▶ 본문 57쪽

1 ㉢ 2 ㉡ 3 ㉠ 4 궁리
5 갈래 6 부채 7 붕괴 8 분야
9 격리 10 편중

교과 어휘 - 다의어·동음이의어 ▶ 본문 59쪽

1 ㉠ 2 ㉡ 3 ㉠ 4 ㉢
5 ㉡ 6 묻어 7 만나 8 ㉠
9 ㉡

심화 어휘 - 주제별 속담·관용어 ▶ 본문 61쪽

1 ㉡ 2 ㉢ 3 ㉠ 4 ㉡
5 ㉠ 6 외양간 7 가래
8 박히게, 기울였다

10회

교과 어휘 - 한자어 ▶ 본문 63쪽

1 ㉡ 2 ㉠ 3 ㉢ 4 일부
5 살아가는 6 생략 7 상당 8 상용화
9 ①

교과 어휘 - 고유어 ▶ 본문 65쪽

1 몰아닥치다 2 묵직하다 3 뭉근하다 4 ㉡
5 ㉠ 6 ㉡ 7 ㉠ 8 ㉢
9 ㉡

심화 어휘 - 헷갈리기 쉬운 낱말 ▶ 본문 67쪽

1 ㉢ 2 ㉡ 3 ㉠ 4 멘
5 맡은 6 무난한 7 맸다 8 맡고
9 맡았다 → 맞았다 10 무난한 → 문안한

11회

교과 어휘 - 한자어 ▶ 본문 69쪽

1 ㉢ 2 ㉡ 3 ㉠ 4 축나서
5 막거나 6 설계 7 소감 8 성질
9 성미 10 쇠잔

교과 어휘 - 고유어 ▶ 본문 71쪽

1 발자취 2 바깥일 3 비탈 4 빛
5 영향 6 ㉠ 7 ㉢ 8 ㉡
9 ②

심화 어휘 - 주제별 한자 성어 ▶ 본문 73쪽

1 ㉡ 2 ㉢ 3 ㉠ 4 이로운
5 낡은 6 설왕설래 7 거두절미 8 감언이설
9 ⑤

12회

교과 어휘 - 한자어 ▶ 본문 75쪽

1 ㉡ 2 ㉢ 3 ㉠ 4 젖은
5 깊이 6 시기 7 수평 8 시설
9 누기 10 평형

교과 어휘 - 다의어·동음이의어 ▶ 본문 77쪽

1 ㉡ 2 ㉡ 3 ㉡ 4 ㉠
5 ㉢ 6 부려 7 멀어 8 ㉠
9 ㉡

심화 어휘 - 주제별 속담·관용어 ▶ 본문 79쪽

1 ㉡ 2 ㉠ 3 ㉢ 4 ㉢
5 ㉡ 6 실 7 도토리
8 띄지, 속인, 돌렸다

13회

교과 어휘 - 한자어 ▶ 본문 81쪽

1 ㉠ 2 ㉡ 3 ㉢ 4 ㉢
5 ㉠ 6 ㉡ 7 암석 8 안도
9 실용적 10 ③

교과 어휘 - 고유어 ▶ 본문 83쪽

1 살펴보다 2 삼가다 3 산뜻하다 4 떼어
5 꺼리는 6 ㉠ 7 ㉡ 8 ㉢
9 ③

심화 어휘 - 헷갈리기 쉬운 낱말 ▶ 본문 85쪽

1 ㉢ 2 ㉡ 3 ㉠ 4 삼았다
5 벌렸다 6 벌였다 7 삶으면 8 빚었다
9 벌려 → 벌여 10 빗어 → 빚어

14회

교과 어휘 - 한자어 ▶ 본문 87쪽

1 ㉠ 2 ㉡ 3 ㉢ 4 철저
5 논 6 여가 7 업무 8 오해
9 상관 10 겨를

교과 어휘 - 고유어 ▶ 본문 89쪽

1 스산하다 2 쏠다 3 솟구치다 4 촘촘하고
5 꿰맨 6 ㉢ 7 ㉡ 8 ㉠
9 ②

심화 어휘 - 주제별 한자 성어 ▶ 본문 91쪽

1 ㉠ 2 ㉢ 3 ㉡ 4 꼬리
5 사흘 6 화룡점정 7 자문자답 8 자화자찬
9 ④

15회

교과 어휘 - 한자어 ▶ 본문 93쪽

1 ㉡ 2 ㉠ 3 ㉢ 4 범죄
5 속일 6 외면 7 원인 8 원격
9 운송 10 자재

교과 어휘 - 다의어·동음이의어 ▶ 본문 95쪽

1 ㉡ 2 ㉠ 3 ㉢ 4 ㉡
5 ㉠ 6 시각 7 붙고 8 ㉡
9 ㉠

심화 어휘 - 주제별 속담·관용어 ▶ 본문 97쪽

1 ㉡ 2 ㉠ 3 ㉢ 4 ㉢
5 ㉠ 6 태산 7 물 8 불리는, 등

16회

교과 어휘 - 한자어 ▶ 본문 99쪽

1 ㉠ 2 ㉡ 3 ㉢ 4 믿지
5 보탬 6 이기적 7 인공 8 위협
9 ②

교과 어휘 - 고유어 ▶ 본문 101쪽

1 아른거리다 2 안절부절못하다 3 어루만지다
4 기대 5 관심 6 ㉡ 7 ㉠
8 ㉢ 9 겸연쩍어 10 매만져

심화 어휘 - 헷갈리기 쉬운 낱말 ▶ 본문 103쪽

1 ㉠ 2 ㉢ 3 ㉡ 4 잃어버려
5 얼음 6 잊어버려 7 스러졌다 8 어름
9 잃어버리고 → 잊어버리고 10 스러질 → 쓰러질

확인 학습 정답

17회

교과 어휘 - 한자어 ▶ 본문 105쪽

1 ㉠ 2 ㉢ 3 ㉡ 4 사람
5 몸치장 6 일부 7 작성 8 장비
9 시인 10 결심

교과 어휘 - 고유어 ▶ 본문 107쪽

1 엎다 2 어림하다 3 어엿하다 4 보리
5 살펴보다 6 ㉢ 7 ㉠ 8 ㉡
9 ②

심화 어휘 - 주제별 한자 성어 ▶ 본문 109쪽

1 ㉠ 2 ㉢ 3 ㉡ 4 내다보고
5 비단옷 6 대기만성 7 역지사지 8 심사숙고
9 ③

18회

교과 어휘 - 한자어 ▶ 본문 111쪽

1 ㉢ 2 ㉠ 3 ㉡ 4 책
5 전부 6 저장 7 적성 8 절벽
9 비축 10 지은이

교과 어휘 - 다의어 · 동음이의어 ▶ 본문 113쪽

1 ㉡ 2 ㉠ 3 ㉡ 4 ㉠
5 ㉢ 6 상하기 7 의사 8 ㉠
9 ㉡

심화 어휘 - 주제별 속담 · 관용어 ▶ 본문 115쪽

1 ㉠ 2 ㉡ 3 ㉢ 4 ㉢
5 ㉡ 6 밥 7 돌
8 차신다, 풀렸다

19회

교과 어휘 - 한자어 ▶ 본문 117쪽

1 ㉡ 2 ㉢ 3 ㉠ 4 배
5 예술 6 즉석 7 증발 8 조율
9 ②

교과 어휘 - 고유어 ▶ 본문 119쪽

1 일구다 2 우중충하다 3 움켜쥐다 4 으뜸
5 을러서 6 ㉠ 7 ㉢ 8 ㉡
9 ②

심화 어휘 - 헷갈리기 쉬운 낱말 ▶ 본문 121쪽

1 ㉡ 2 ㉠ 3 ㉢ 4 전체
5 찧기 6 짖기 7 전채 8 지어
9 찢는지 → 찧는지 10 짓는 → 짖는

20회

교과 어휘 - 한자어 ▶ 본문 123쪽

1 ㉠ 2 ㉢ 3 ㉡ 4 ㉢
5 ㉡ 6 ㉠ 7 차단 8 처방
9 창의 10 ③

교과 어휘 - 고유어 ▶ 본문 125쪽

1 젠체하다 2 지저분하다 3 일으키다 4 가치
5 기둥 6 ㉡ 7 ㉢ 8 ㉠
9 ②

심화 어휘 - 주제별 한자 성어 ▶ 본문 127쪽

1 ㉡ 2 ㉠ 3 ㉢ 4 기회
5 구별 6 일자무식 7 맥수지탄 8 목불식정
9 ①

21회

교과 어휘 - 한자어 ▶ 본문 129쪽

1 ㉠ 2 ㉢ 3 ㉡ 4 직업
5 조사 6 초조 7 최첨단 8 축제
9 ②

교과 어휘 - 다의어·동음이의어 ▶ 본문 131쪽

1 ㉠ 2 ㉠ 3 ㉡ 4 ㉠
5 ㉢ 6 읽는다 7 친다 8 ㉡
9 ㉠

심화 어휘 - 주제별 속담·관용어 ▶ 본문 133쪽

1 ㉡ 2 ㉠ 3 ㉢ 4 ㉡
5 ㉠ 6 핑계 7 솔잎 8 굴렀다, 넓은

22회

교과 어휘 - 한자어 ▶ 본문 135쪽

1 ㉢ 2 ㉠ 3 ㉡ 4 배
5 고르게 6 특산물 7 파괴 8 평가
9 ②

교과 어휘 - 고유어 ▶ 본문 137쪽

1 쪼개다 2 통틀다 3 청승맞다 4 구실
5 밟거나 6 ㉢ 7 ㉡ 8 ㉠
9 ④

심화 어휘 - 헷갈리기 쉬운 낱말 ▶ 본문 139쪽

1 ㉠ 2 ㉢ 3 ㉡ 4 캐
5 켜 6 체 7 다르게 8 채
9 켜기도 → 캐기도 10 채 → 체

23회

교과 어휘 - 한자어 ▶ 본문 141쪽

1 ㉢ 2 ㉡ 3 ㉠ 4 바닷물
5 습관 6 필체 7 풍속 8 품질
9 ②

교과 어휘 - 고유어 ▶ 본문 143쪽

1 헤치다 2 헤매다 3 흩어지다 4 잠기거나
5 가격 6 ㉡ 7 ㉠ 8 ㉢
9 ㉡ 10 ㉠

심화 어휘 - 주제별 한자 성어 ▶ 본문 145쪽

1 ㉡ 2 ㉠ 3 ㉢ 4 성장
5 딴생각 6 위편삼절 7 동상이몽 8 일장춘몽
9 ①

24회

교과 어휘 - 한자어 ▶ 본문 147쪽

1 ㉡ 2 ㉠ 3 ㉢ 4 지나간
5 일시적 6 화재 7 흔적 8 홍보
9 ②

교과 어휘 - 다의어·동음이의어 ▶ 본문 149쪽

1 ㉠ 2 ㉠ 3 ㉢ 4 ㉠
5 ㉡ 6 피었다 7 훔쳤다 8 ㉡
9 ㉠

심화 어휘 - 주제별 속담·관용어 ▶ 본문 151쪽

1 ㉢ 2 ㉡ 3 ㉠ 4 ㉢
5 ㉠ 6 꼬리 7 꼴뚜기 8 씌어, 쳐다볼

어휘력 테스트 정답과 해설

01회

▶ 어휘력 테스트 2쪽

1 ㉠ 2 ㉢ 3 ㉡ 4 가로질렀다
5 거뜬했다 6 고됐다 7 건넸다 → 건넜다
8 그저 → 거저 9 가름 → 갈음
10 거래 11 감시 12 고장 13 횡단하는
14 연거푸 15 ②

8 옆집에서 자전거를 아무런 노력이나 대가 없이 주었다는 내용이므로 '그저'를 '거저'로 고쳐 써야 올바른 문장이 됩니다.

9 '가름'은 '쪼개거나 나누어 따로따로 되게 하는 일.' 또는 '승부나 등수 등을 정하는 일.'이라는 뜻입니다. '갈음'은 '다른 것으로 바꾸어 대신함.'이라는 뜻으로, 제시된 문장에는 '갈음'이 알맞습니다.

15 학생들을 수비 팀과 공격 팀으로 나누어 따로따로 되게 하였으므로 '가름'이 알맞습니다. 그리고 '나'는 가만히 서 있는 민수를 그냥 보고만 있을 수 없었다고 하였으므로 '그저'가 알맞습니다.

02회

▶ 어휘력 테스트 3쪽

1 공간 2 고정 3 경사 4 꿰다
5 귀담아듣다 6 글썽이다 7 고유 8 깨우치다
9 ㉢ 10 ㉣ 11 ㉡ 12 ㉠
13 ㉡ 14 ㉢ 15 ㉠

4 '꿰다'는 '실이나 끈 등을 구멍이나 틈의 한쪽에 넣어 다른 쪽으로 내다.' 또는 '옷이나 신 등을 입거나 신다.'라는 뜻입니다.

13 '군계일학'은 '닭의 무리 가운데에서 한 마리의 학이란 뜻으로, 많은 사람 가운데서 뛰어난 인물을 이르는 말.'입니다. 따라서 시현이가 전교생 중에서 달리기가 가장 빠르다는 사실을 잘 나타냅니다.

15 '격세지감'은 '오래지 않은 동안에 몰라보게 변하여 아주 다른 세상이 된 것 같은 느낌.'을 뜻합니다. 따라서 오랜만에 서울에 와서 서울이 변한 것을 보고 다른 세상에 온 것 같다고 느끼는 상황을 잘 나타냅니다.

03회

▶ 어휘력 테스트 4쪽

1 교환 2 구성원 3 구별 4 ㉡
5 ㉡ 6 ㉡ 7 ㉢ 8 ㉠
9 ㉢ 10 ㉠ 11 ㉡ 12 ㉣
13 ㉢ 14 ㉠ 15 ㉡

6 '가슴에 손을 얹다'는 '양심에 근거를 두다.'라는 뜻입니다. 따라서 '양심을 걸고'라는 표현을 '가슴에 손을 얹고'라는 관용 표현으로 바꾸어도 의미가 통합니다.

7 '가슴이 뜨겁다'는 '깊고 큰 사랑과 배려를 받아 고마움으로 마음의 감동이 크다.'라는 뜻입니다. 따라서 '큰 사랑을 받아 고마움으로'라는 표현을 '가슴이 뜨거워서'라는 관용 표현으로 바꾸어도 의미가 통합니다.

8 '가슴에 새기다'는 '잊지 않게 단단히 마음에 기억하다.'라는 뜻입니다. 따라서 '단단히 기억하고 있다.'라는 표현을 '가슴에 새기고 있다.'라는 관용 표현으로 바꾸어도 의미가 통합니다.

04회

▶ 어휘력 테스트 5쪽

1 ㉡ 2 ㉠ 3 ㉢ 4 내디뎠다
5 끼적였다 6 다독였다 7 날아 → 날라
8 기리고 → 기르고 9 다리는 → 달이는
10 기준 11 넓디넓다 12 농작물 13 과시할
14 시선 15 ③

7 '날다'는 '공중에 떠서 어떤 위치에서 다른 위치로 움직이다.'라는 뜻입니다. '나르다'는 '물건을 한 곳에서 다른 곳으로 옮기다.'라는 뜻이므로 제시된 문장에는 '날라'가 알맞습니다.

9 '다리다'는 '옷이나 천 등의 주름이나 구김을 펴고 줄을 세우기 위하여 다리미로 문지르다.'라는 뜻입니다. '달이다'는 '액체 등을 끓여서 진하게 만들다.'라는 뜻이므로 제시된 문장에는 '달이는'이 알맞습니다.

15 독립운동을 하신 분들의 희생을 기억하는 기념식이므로 '기리는'이 알맞습니다. 또한 엄마가 옷을 다리미로 문지른 것이므로 '다려'가 알맞습니다.

05회

▶ 어휘력 테스트 6쪽

1 당선	2 대안	3 대담	4 뒤엉켰다
5 덧붙였다	6 돋우었다	7 더미	8 단정
9 ⓒ	10 ⓛ	11 ⓖ	12 ⓡ
13 ⓒ	14 ⓖ	15 ⓛ	

6 '돋우다'는 '위로 끌어 올려 도드라지거나 높아지게 하다.' 또는 '감정이나 기색 등을 생겨나게 하다.'라는 뜻입니다.

13 '상사불망'은 '서로 그리워하여 잊지 못함.'을 뜻하므로, '나'와 연서가 서로 그리워서 매일 영상 통화를 하는 상황을 잘 나타냅니다.

14 '누란지세'는 '몹시 위태로운 형세를 이르는 말.'로, 주인공이 다리에 간신히 매달려 있는 상황을 잘 나타냅니다.

15 '사면초가'는 '아무에게도 도움을 받지 못하는, 외롭고 곤란한 지경에 빠진 형편을 이르는 말.'로, 다리를 다쳤는데도 도움을 청할 사람이 없는 상황을 잘 나타냅니다.

06회

▶ 어휘력 테스트 7쪽

1 동의	2 모형	3 맹세	4 ⓖ
5 ⓛ	6 ⓖ	7 ⓒ	8 ⓛ
9 ⓡ	10 ⓛ	11 ⓒ	12 ⓖ
13 ⓒ	14 ⓖ	15 ⓛ	

4 ⓛ에서 '끌다'는 '남의 관심 등을 쏠리게 하다.'라는 뜻으로 쓰였습니다.

7 '걸음을 하다'는 '웃어른이나 지위가 높은 사람이 들름을 높여 이르는 말.'이므로 '오셨다.'를 '걸음을 하셨다.'라는 관용 표현으로 바꾸어도 의미가 통합니다.

8 '걸음을 재촉하다'는 '길을 갈 때에 빨리 서둘러 가다.'라는 뜻이므로, '빨리 서둘러 갔다.'라는 표현을 '걸음을 재촉했다.'라는 관용 표현으로 바꾸어도 의미가 통합니다.

07회

▶ 어휘력 테스트 8쪽

1 ⓖ	2 ⓛ	3 ⓒ	4 떠벌렸다
5 들고일어났다		6 뚜렷했다	
7 대었다 → 데었다		8 다치지 → 닫히지	
9 들어내기 → 드러내기		10 무인도	11 방식
12 딴전	13 결심했다	14 뒷바라지했다	15 ①

8 '다치다'는 '부딪치거나 맞거나 하여 몸에 상처가 생기다. 또는 상처를 입다.'라는 뜻입니다. '닫히다'는 '열린 문짝, 뚜껑, 서랍 등이 도로 제자리로 가 막히다.'라는 뜻으로, 제시된 문장에는 '닫히지'가 알맞습니다.

9 '들어내다'는 '물건을 들어서 밖으로 옮기다.' 또는 '사람을 있는 자리에서 쫓아내다.'라는 뜻입니다. '드러내다'는 '알려지지 않은 사실을 널리 밝히다.'라는 뜻으로, 제시된 문장에는 '드러내기'가 알맞습니다.

15 손을 강아지 머리에 닿게 하려 했으므로 '대는'이 알맞습니다. 또한 '나'는 놀라서 뒤로 넘어지면서 땅과 부딪혀 손목에 상처가 생겼으므로 '다쳤다'가 알맞습니다.

08회

▶ 어휘력 테스트 9쪽

1 보존	2 배려	3 배경	4 맞대다
5 메스껍다	6 모질다	7 부담	8 말귀
9 ⓒ	10 ⓖ	11 ⓛ	12 ⓡ
13 ⓖ	14 ⓛ	15 ⓒ	

5 '매스껍다'는 '먹은 것이 되넘어 올 것같이 속이 몹시 울렁거리는 느낌이 있다.' 또는 '태도나 행동 등이 비위에 거슬리게 몹시 아니꼽다.'라는 뜻입니다.

14 '유유상종'은 '같은 무리끼리 서로 사귐.'을 뜻하는 말입니다. 따라서 친구들끼리 좋아하는 것과 잘하는 것이 같은 상황을 나타내는 데 알맞습니다.

15 '혼비백산'은 '혼백이 어지러이 흩어진다는 뜻으로, 몹시 놀라 넋을 잃음을 이르는 말.'로, 산불이 집 근처까지 번져서 정신없이 도망친 상황을 나타내는 데 알맞습니다.

어휘력 테스트 정답과 해설

09회

▶ 어휘력 테스트 10쪽

1 붕괴	2 부채	3 사료	4 ㉡
5 ㉠	6 ㉢	7 ㉡	8 ㉠
9 ㉠	10 ㉣	11 ㉢	12 ㉡
13 ㉡	14 ㉠	15 ㉢	

5 ㉡에서 '만나다'는 '선이나 길, 강 등이 서로 마주 닿다.'라는 뜻으로 쓰였습니다.

6 '귀에 못이 박히다'는 '같은 말을 여러 번 듣다.'라는 뜻입니다. 따라서 '여러 번 들었다.'라는 표현을 '귀에 못이 박히게 들었다.'라는 관용 표현으로 바꾸어도 의미가 통합니다.

7 '귀를 기울이다'는 '남의 이야기나 의견에 관심을 가지고 주의를 모으다.'라는 뜻입니다. 따라서 '주의를 모아'라는 표현을 '귀를 기울여'라는 관용 표현으로 바꾸어도 의미가 통합니다.

10회

▶ 어휘력 테스트 11쪽

1 ㉡	2 ㉠	3 ㉢	4 몰아닥친
5 뭉근한	6 몽실몽실	7 맞게 → 맡게	
8 문안하여 → 무난하여		9 매고 → 메고	
10 생동감	11 생태	12 문득	13 버둥거린다
14 듬직하다	15 ①		

8 '문안하다'는 '웃어른께 안부를 여쭈다.'라는 뜻이고, '무난하다'는 '이렇다 할 단점이나 흠잡을 만한 것이 없다.'라는 뜻입니다. 따라서 제시된 문장에는 '무난하여'가 알맞습니다.

9 '매다'는 '끈이나 줄 등의 두 끝을 엇걸고 잡아당기어 풀어지지 아니하게 마디를 만들다.'라는 뜻이고, '메다'는 '어깨에 걸치거나 올려놓다.'라는 뜻입니다. 가방을 어깨에 올려놓은 것이므로 '메고'가 알맞습니다.

15 추석이라는 때를 대하는 것이므로 '맞아'가 알맞습니다. 또한 그네 줄의 두 끝을 엇걸고 잡아당기어 풀어지지 않도록 마디를 만든 것이므로 '매어'가 알맞습니다.

11회

▶ 어휘력 테스트 12쪽

1 소감	2 설계	3 손실	4 발자취
5 바깥일	6 비탈	7 번뜩	8 쇠약
9 ㉡	10 ㉣	11 ㉢	12 ㉠
13 ㉡	14 ㉢	15 ㉠	

13 '감언이설'은 '귀가 솔깃하도록 남의 비위를 맞추거나 이로운 조건을 내세워 꾀는 말.'을 뜻합니다. 따라서 '그'가 게임기를 빌려주겠다는 말로 '나'를 꾄 상황을 잘 나타냅니다.

14 '설왕설래'는 '서로 옳고 그름을 따지며 옥신각신함. 또는 말이 오고 감.'을 뜻하는 말입니다. 따라서 급식 당번을 정하는 기준에 대해 여러 말이 오고 간 상황을 잘 나타냅니다.

15 '각주구검'은 '융통성 없이 현실에 맞지 않는 낡은 생각을 고집하는 어리석음을 이르는 말.'입니다. 따라서 아빠가 남자는 절대 울면 안 된다며 옛 생각을 고집하는 상황을 잘 나타냅니다.

12회

▶ 어휘력 테스트 13쪽

1 수평	2 습기	3 수심	4 ㉠
5 ㉡	6 ㉠	7 ㉢	8 ㉡
9 ㉣	10 ㉡	11 ㉢	12 ㉠
13 ㉠	14 ㉢	15 ㉡	

4 ㉡에서 '맵다'는 '고추나 겨자와 같이 맛이 알알하다.'라는 뜻으로 쓰였습니다.

5 ㉠에서 '멀다'는 '시간적으로 사이가 길거나 오래다.'라는 뜻으로 쓰였습니다.

7 '눈을 속이다'는 '잠시 꾀를 써서 보는 사람이 속아 넘어가게 하다.'라는 뜻입니다. 따라서 '속여 팔았다.'라는 표현을 '눈을 속였다.'라는 관용 표현으로 바꾸어도 의미가 통합니다.

8 '눈을 돌리다'는 '관심을 돌리다.'라는 뜻입니다. 따라서 '관심을 돌렸다.' 대신 '눈을 돌렸다.'라는 관용 표현을 사용해도 의미가 통합니다.

13회

▶ 어휘력 테스트 14쪽

1 ㉠	2 ㉡	3 ㉢	4 삼가야
5 산뜻해	6 새침데기	7 벌여 → 벌려	
8 삼아 → 삶아		9 빌어야 → 빗어야	
10 약자	11 악취	12 실현	
13 드문드문하게		14 관찰해야	15 ②

7 '벌이다'는 '여러 가지 물건을 늘어놓다.'라는 뜻입니다. '벌리다'는 '둘 사이를 넓히거나 멀게 하다.'라는 뜻입니다. 간격을 넓힌다는 내용이므로 '벌여'를 '벌려'로 고쳐야 합니다.

8 '삼다'는 '무엇을 무엇이 되게 하거나 여기다.'라는 뜻이고, '삶다'는 '물에 넣고 끓이다.'라는 뜻입니다. 계란을 물에 넣고 끓였다는 내용이므로 '삼아'를 '삶아'로 고쳐야 합니다.

15 만두 재료들을 개수대 위에 늘어놓은 것이므로 '벌여'가 알맞습니다. 그리고 밀가루를 이기고 속을 넣어 만두를 만들었으므로 '빚었다'가 알맞습니다.

14회

▶ 어휘력 테스트 15쪽

1 업무	2 연관	3 오해	4 수북이
5 스산해	6 솟구쳐	7 여가	8 솔기
9 ㉣	10 ㉡	11 ㉠	12 ㉢
13 ㉡	14 ㉢	15 ㉠	

13 '자화자찬'은 '자기가 그린 그림을 스스로 칭찬한다는 뜻으로, 자기가 한 일을 스스로 자랑함을 이르는 말.'입니다. 따라서 주형이가 야구, 축구를 잘한다고 스스로를 칭찬하는 상황을 잘 나타냅니다.

14 '작심삼일'은 '단단히 먹은 마음이 사흘을 가지 못한다는 뜻으로, 결심이 굳지 못함을 이르는 말.'입니다. 따라서 매일 책을 읽겠다고 다짐하고 이틀 만에 책을 읽지 않게 된 상황을 잘 나타냅니다.

15 '자문자답'은 '스스로 묻고 스스로 대답함.'을 뜻하는 말입니다. 따라서 지수가 언제 만날지 스스로 묻고 1시에 만나자고 스스로 대답한 상황을 잘 나타냅니다.

15회

▶ 어휘력 테스트 16쪽

1 원격	2 우범	3 위조	4 ㉡
5 ㉡	6 ㉠	7 ㉡	8 ㉢
9 ㉠	10 ㉢	11 ㉣	12 ㉡
13 ㉡	14 ㉢	15 ㉠	

5 ㉠에서 '붙다'는 '시험 등에 합격하다.'라는 뜻으로 쓰였습니다.

6 '배가 등에 붙다'는 '먹은 것이 없어서 배가 홀쭉하고 몹시 허기지다.'라는 뜻입니다. 따라서 '몹시 허기진다.'라는 표현을 '배가 등에 붙었다.'라는 관용 표현으로 바꾸어도 의미가 통합니다.

7 '배가 아프다'는 '남이 잘되어 심술이 나다.'라는 뜻입니다. 따라서 '심술이 난다.'라는 표현을 '배가 아프다.'라는 관용 표현으로 바꾸어도 의미가 통합니다.

16회

▶ 어휘력 테스트 17쪽

1 ㉠	2 ㉢	3 ㉡	4 아른거렸다
5 알아맞혔다		6 안절부절못했다	
7 쓰러졌다 → 스러졌다		8 잃어버리고 → 잊어버리고	
9 얼음 → 어름		10 의심	11 앙다물
12 유쾌	13 겸연쩍었다	14 매만졌다	15 ④

7 해가 뜸에 따라 별빛이 차차 희미해지면서 없어진 상황을 나타내므로 '쓰러졌다'를 '스러졌다'로 고쳐 써야 올바른 문장이 됩니다.

8 '잊어버리다'는 '한번 알았던 것을 모두 기억하지 못하거나 전혀 기억하여 내지 못하다.'를 뜻하는 말입니다. 친구와의 약속을 기억해 내지 못한 상황이므로 '잃어버리고'를 '잊어버리고'로 고쳐 써야 올바른 문장이 됩니다.

15 '나'가 자전거를 타다가 바닥에 눕는 상태가 된 것이므로 '쓰러졌다'가 알맞습니다. 그리고 찜질을 하는 재료로는 '물이 얼어서 굳어진 물질.'인 '얼음'이 알맞습니다.

17회

▶ 어휘력 테스트 18쪽

1 인류	2 작성	3 장신구	4 어엿한
5 얹어	6 엿보는	7 어림	8 인정
9 ㉢	10 ㉣	11 ㉠	12 ㉡
13 ㉡	14 ㉠	15 ㉢	

13 '선견지명'은 '어떤 일이 일어나기 전에 미리 앞을 내다보고 아는 지혜.'를 뜻하는 말입니다. 이 말은 길이 막힐 줄 알고 지하철을 탄 상황을 잘 나타냅니다.

14 '대기만성'은 '큰 그릇을 만드는 데는 시간이 오래 걸린다는 뜻으로, 크게 될 사람은 늦게 이루어짐을 이르는 말.'입니다. 이 말은 연습생 생활을 10년 넘게 하고 세계적인 가수가 된 상황을 잘 나타냅니다.

15 '역지사지'는 '처지를 바꾸어서 생각하여 봄.'을 뜻하는 말입니다. 이 말은 내가 실수했던 때를 생각해서 친구의 잘못을 용서해 준 상황을 잘 나타냅니다.

18회

▶ 어휘력 테스트 19쪽

1 저자	2 저장	3 전담	4 ㉡
5 ㉡	6 ㉡	7 ㉢	8 ㉠
9 ㉢	10 ㉣	11 ㉠	12 ㉡
13 ㉡	14 ㉢	15 ㉠	

4 ㉠에서 '뽑다'는 '박힌 것을 잡아당기어 빼내다.'라는 뜻으로 쓰였습니다.

5 ㉠에서 '상하다'는 '음식이 변하거나 썩어서 먹을 수 없게 되다.'라는 뜻으로 쓰였습니다.

7 '마음이 돌아서다'는 '가졌던 마음이 아주 달라지다.'라는 뜻입니다. 따라서 '마음이 달라졌는지'라는 표현을 '마음이 돌아섰는지'라는 관용 표현으로 바꾸어도 의미가 통합니다.

8 '마음에 차다'는 '마음에 흡족하게 여기다.'라는 뜻입니다. 따라서 '내 마음에 쏙 드는'이라는 표현을 '마음에 차는'이라는 관용 표현으로 바꾸어도 의미가 통합니다.

19회

▶ 어휘력 테스트 20쪽

1 ㉠	2 ㉡	3 ㉢	4 일구었다
5 움켜쥐었다	6 올려멨다	7 찧었다 → 찢었다	
8 짓는 → 짖는		9 전채 → 전체	
10 지천	11 정원	12 우두머리	13 내년
14 어두침침하던		15 ①	

9 '전채'는 '서양 요리에서, 식욕을 돋우기 위하여 식사 전에 나오는 간단한 요리.'를 뜻하고, '전체'는 '낱낱 또는 부분이 모여 하나의 덩어리를 이루었을 때 그 온 덩어리.'를 뜻합니다. 반 학생들 모두를 함께 일컬을 때는 '전체'가 알맞습니다.

14 '우중충하다'는 '날씨나 분위기 등이 어둡고 침침하다.'라는 뜻입니다. 이는 '어둡고 침침하다.'라는 뜻의 '어두침침하다'와 바꾸어 쓸 수 있습니다.

15 아이들이 상자를 이용해 집을 만든 것이므로 '지었다'가 알맞습니다. 또한 색종이를 잡아당겨 가른 것이므로 '찢어'가 알맞습니다.

20회

▶ 어휘력 테스트 21쪽

1 차단	2 창의	3 착각	4 일으켰다
5 지저분했다	6 젠체했다	7 진출	8 제값
9 ㉢	10 ㉡	11 ㉠	12 ㉣
13 ㉢	14 ㉡	15 ㉠	

13 '일자무식'은 '어떤 분야에 대하여 아는 바가 하나도 없음을 이르는 말.'입니다. 따라서 주하가 드론에 대해 아는 것이 하나도 없는 상황을 잘 나타냅니다.

14 '목불식정'은 '아주 간단한 글자인 '丁' 자를 보고도 그것이 '고무래'인 줄을 알지 못한다는 뜻으로, 아주 까막눈임을 이르는 말.'입니다. 따라서 할머니가 글자를 모르는 상황을 잘 나타냅니다.

15 '만시지탄'은 '시기에 늦어 기회를 놓쳤음을 안타까워하는 탄식.'이라는 뜻으로, 언니가 피아노 연습을 좀 더 일찍 시작하지 않은 것을 후회하는 상황을 잘 나타냅니다.

21회

▶ 어휘력 테스트 22쪽

1 최첨단	2 초조	3 타협	4 ㉠
5 ㉡	6 ㉡	7 ㉠	8 ㉢
9 ㉢	10 ㉡	11 ㉠	12 ㉣
13 ㉡	14 ㉠	15 ㉢	

4 ㉡에서 '식다'는 '어떤 일에 대한 열의나 생각 등이 줄거나 가라앉다.'라는 뜻으로 쓰였습니다.

6 '발을 끊다'는 '오가지 않거나 관계를 끊다.'라는 뜻입니다. 따라서 '가지 않았다.'라는 표현을 '발을 끊었다.'라는 관용 표현을 바꾸어도 의미가 통합니다.

8 '발이 넓다'는 '사귀어 아는 사람이 많아 활동하는 범위가 넓다.'라는 뜻입니다. 따라서 '아는 친구들이 많아서'라는 표현을 '발이 넓어서'라는 관용 표현으로 바꾸어도 의미가 통합니다.

22회

▶ 어휘력 테스트 23쪽

1 ㉠	2 ㉢	3 ㉡	4 청승맞게
5 쫓겨나	6 통틀어	7 캐서 → 켜서	
8 체 → 채	9 달라서 → 틀려서		10 특산물
11 철퍼덕	12 포구	13 뻐개는	14 타내는
15 ①			

8 '체'는 '그럴듯하게 꾸미는 거짓 태도나 모양.'을 뜻하는 말이고, '채'는 '이미 있는 상태 그대로 있다는 뜻을 나타내는 말.'입니다. 옷을 입은 상태 그대로 바다에 뛰어 들어갔다는 내용이므로 '체'를 '채'로 고쳐 써야 합니다.

14 '탓하다'는 '핑계나 구실로 삼아 나무라거나 원망하다.'라는 뜻입니다. 이는 '남의 잘못이나 결함을 드러내어 탓하다.'라는 뜻의 '타내다'와 바꾸어 쓸 수 있습니다.

15 갯벌을 파서 맛조개를 꺼낸 것이므로 '캤다'가 알맞습니다. 그리고 '나'가 알고 있던 조개와 맛조개의 생김새가 서로 같지 않다는 내용이므로 '달라서'가 알맞습니다.

23회

▶ 어휘력 테스트 24쪽

1 필체	2 풍속	3 해일	4 허물고
5 헤치고	6 헤매고	7 품질	8 흥건
9 ㉠	10 ㉡	11 ㉣	12 ㉢
13 ㉢	14 ㉠	15 ㉡	

5 '헤치다'는 '속에 든 물건을 드러나게 하려고 덮인 것을 파거나 젖히다.' 또는 '앞에 걸리는 것을 좌우로 물리치다.'를 뜻하는 말입니다.

6 '헤매다'는 '갈 바를 몰라 이리저리 돌아다니다.' 또는 '갈피를 잡지 못하다.'를 뜻하는 말입니다.

13 '수불석권'은 '손에서 책을 놓지 아니하고 늘 글을 읽음.'을 뜻합니다. 따라서 시현이가 밥을 먹을 때에도 손에서 책을 놓지 않는 상황을 잘 나타냅니다.

15 '동상이몽'은 '겉으로는 같이 행동하면서도 속으로는 각각 딴생각을 하고 있음을 이르는 말.'입니다. 이는 제주도 여행을 가는데 아빠와 엄마가 각각 다른 계획을 세운 상황을 잘 나타냅니다.

24회

▶ 어휘력 테스트 25쪽

1 협곡	2 혼잡	3 홍보	4 ㉠
5 ㉡	6 ㉡	7 ㉢	8 ㉠
9 ㉠	10 ㉣	11 ㉡	12 ㉢
13 ㉡	14 ㉢	15 ㉠	

4 ㉡에서 '토하다'는 '먹은 것을 삭이지 못하고 도로 입 밖으로 내어놓다.'라는 뜻으로 쓰였습니다.

6 '얼굴에 씌어 있다'는 '감정, 기분 등이 얼굴에 나타나다.'라는 뜻입니다. 따라서 '얼굴에 나타나 있다.'라는 표현을 '얼굴에 씌어 있다.'라는 관용 표현으로 바꾸어도 의미가 통합니다.

8 '얼굴만 쳐다보다'는 '아무 대책 없이 서로에게 기대기만 하다.'라는 뜻입니다. 따라서 '대책 없이 엄마가 오기만을 기다렸다.'라는 표현을 '서로 얼굴만 쳐다봤다.'라는 관용 표현으로 바꾸어도 의미가 통합니다.

MEMO

실력 진단 평가 1

01 ㉢ 02 ㉠ 03 ㉡ 04 관심 05 물건 06 가슴 07 ㉠
08 ㉠ 09 교환 10 관광 11 구별 12 ㉡ 13 ㉢ 14 ㉠
15 떼는, 하셨다

실력 진단 평가 2

01 ㉡ 02 ㉢ 03 ㉠ 04 알아듣는 05 직업 06 관계
07 ㉠ 08 ㉡ 09 설계 10 소감 11 성질 12 ㉢ 13 ㉠
14 ㉡ 15 다치지, 들어내기로, 드러났다

초등 국어

일등급 어휘력 4

이 책을 추천합니다.

▸▸ 평소에 아이가 책을 많이 접하고 자주 읽게 하려고 노력하는 편인데, 다양한 책을 읽다 보면 당연히 알고 있을 것이라고 생각했던 쉬운 어휘를 모르는 경우가 종종 있었습니다. 이 책에서는 한자어, 고유어, 다의어, 동음이의어 등 다양한 기초 낱말과 한자 성어, 속담, 관용어 같은 어려운 내용까지 함께 배울 수 있어서 좋았습니다.

– 이미정 (안산초등학교 3학년 학부모)

▸▸ 탄탄한 어휘력은 독해의 기본입니다. 길고 어려운 글을 독해할 때 우리는 어휘를 중심으로 맥락을 파악합니다. 그러나 탄탄한 어휘력을 쌓는 일은 단시간에 문제를 많이 푼다고 이루어지는 것이 아닙니다. 평소에 어휘가 문장 안에서 어떤 의미로 사용되고 있는지, 이를 대체할 낱말들에는 무엇이 있는지를 곰곰이 생각해 보는 연습이 필요합니다.

– 신주용 (서울대 자유전공학부 19학번)

지은이 꿈을담는틀 편집부 **펴낸곳** (주)꿈을담는틀
펴낸이 백종민 **등록번호** 제302-2005-00049호
대표전화 1544-6533 **팩스** 02-749-4151 **펴낸날** 2020년 6월 10일 초판 1쇄
주소 서울시 영등포구 당산로 50길 3 꿈을담는빌딩 **홈페이지** www.ggumtl.co.kr